THICH NHAT HANH

Le vénérable Thich Nhat Hanh est un maître bouddhiste vietnamien. Son action, son courage, l'amour qu'il porte à son peuple ont conduit Martin Luther King à soutenir sa candidature pour le prix Nobel de la paix en 1967. Réfugié politique en France depuis 1972, il vit en Dordogne au « Village des Pruniers », la communauté qu'il a fondée en 1982 et où il anime des séminaires réunissant des centaines de participants venus du monde entier. Les ouvrages de Thich Nhat Hanh connaissent aujourd'hui un succès mondial.

BOUDDHA ET JÉSUS SONT DES FRÈRES

DU MÊME AUTEUR
CHEZ POCKET

SUR LES TRACES DE SIDDHARTA
L'ESPRIT D'AMOUR
CLÉS POUR LE ZEN
LE CŒUR DES ENSEIGNEMENTS DU BOUDDHA
LA COLÈRE
IL N'Y A NI MORT NI PEUR
ESPRIT D'AMOUR, ESPRIT DE PAIX
LE CŒUR DES ENSEIGNEMENTS DE BOUDDHA

THICH NHAT HANH

BOUDDHA ET JÉSUS SONT DES FRÈRES

Traduit de l'anglais par
Marianne Coulin

84220 Gordes, France.
ISBN : 978-2-266-12119-4

PREMIÈRE PARTIE

LA NAISSANCE DE LA COMPRÉHENSION [1]

Il y a des choses qui sont disponibles vingt-quatre heures sur vingt-quatre. Il ne tient qu'à nous de savoir en profiter. L'air pur est disponible vingt-quatre heures par jour. La question est de savoir si nous avons le temps et la conscience de l'apprécier. On ne peut pas reprocher à l'air pur de ne pas être là ! Demandons-nous plutôt si nous avons su prendre le temps d'être conscients de l'air pur et de le savourer. Notre pleine conscience est l'une des conditions qui nous aident à être libres de vivre pleinement ce qui se trouve là. Si notre pleine conscience n'est pas là, alors il n'y aura rien à apprécier. Nous ne serons pas conscients du soleil, de l'air pur, des étoiles, de la lune, des êtres humains, des animaux et des arbres.

L'écrivain André Gide a dit que Dieu est présent vingt-quatre heures par jour. Dieu est bonheur.

1. Enseignement donné le 24 décembre 1995 au hameau d'en bas du Village des Pruniers en Dordogne.

Dieu est paix. Pourquoi ne savons-nous pas apprécier Dieu ? Parce que nous ne sommes pas libres. Notre esprit n'est pas là. Pourtant nous avons la capacité de toucher Dieu, de l'apprécier. La pratique de la pleine conscience nous aide à nous libérer pour savourer ce qui est là.

Deux réalités

Il existe deux niveaux de relation. Le premier niveau est la relation entre nous et les autres. Dans le christianisme, on parle de « théologie horizontale ». Ce genre de théologie nous aide à voir et à toucher ce qu'il y a autour de nous. La théologie horizontale nous aide à établir des liens avec ce qui nous entoure, y compris les êtres humains, les animaux, les végétaux et les minéraux. Notre pratique quotidienne devrait nous aider à entrer en contact avec ces êtres, animés ou inanimés, et, ainsi, à entrer en contact avec Dieu.

Le contact avec Dieu est symbolisé par une ligne verticale qu'on appelle la « théologie verticale ». Il y a donc deux dimensions. Si vous n'arrivez pas à toucher la dimension horizontale, vous ne pourrez pas toucher la dimension verticale. Il y a une relation entre l'horizontal et le vertical. C'est l'inter-être entre les deux. Si vous ne pouvez pas aimer les hommes, les animaux et les plantes, comment pouvez-vous aimer Dieu ? La capacité d'aimer Dieu dépend de votre capacité à aimer l'humanité et les autres espèces.

Ceci est, parce que cela est

Visualisons l'océan plein de vagues. Imaginons que nous sommes une vague à la surface de l'océan, entourée d'une multitude d'autres vagues. Si la vague regarde profondément en elle, elle s'apercevra que son être dépend de la présence de toutes les autres vagues. Le fait qu'elle s'élève et s'abaisse, qu'elle soit grosse ou petite, dépend entièrement des autres vagues. En regardant en vous-même, vous touchez la totalité, vous touchez le tout – vous êtes conditionné par ce qui vous entoure.

Dans l'enseignement du Bouddha, on apprend que « ceci est, parce que cela est ». « Ceci est ainsi, parce que cela est ainsi. » C'est un enseignement très simple mais très profond. C'est parce que les autres vagues sont que cette vague est. Et c'est parce que les autres vagues sont ainsi que cette vague est ainsi. En vous touchant vous-même, vous touchez la totalité. Dès l'instant où vous êtes capable de vous toucher vous-même profondément et de toucher les autres profondément, vous touchez l'autre dimension, la dimension de la réalité ultime.

Une vague est faite d'autres vagues. On peut comprendre la relation entre la vague et toutes les autres vagues avec le principe de cause et d'effet. Mais il y a un autre niveau de relation entre la vague et l'eau. La vague est consciente qu'elle est faite des autres vagues, mais en même temps elle sait qu'elle est aussi faite d'eau. Il est très important pour elle qu'elle touche l'eau, le fondement de son être. Elle voit alors que toutes les autres vagues sont aussi faites d'eau.

Dans le bouddhisme, on parle du monde des phénomènes *(dharmalakshana)*. Vous, moi, les arbres, les oiseaux, les écureuils, la crique, l'air, les étoiles sont tous des phénomènes. Il existe une relation entre les différents phénomènes. En observant les choses profondément, nous voyons qu'une chose contient toutes les autres. Si vous observez profondément un arbre, vous verrez qu'un arbre n'est pas seulement un arbre. Il est aussi une personne. Il est un nuage. Il est le soleil. Il est la Terre. Il est les animaux et les minéraux. La pratique du regard profond nous révèle qu'une chose est faite de toutes les autres. Une chose contient tout le cosmos.

Juste avant de manger un morceau de pain, si la pleine conscience est là, si l'Esprit Saint est là, on peut manger le pain de manière à toucher profondément tout le cosmos. Un morceau de pain contient le soleil. Ce n'est pas difficile à voir. Sans le soleil, le morceau de pain ne peut exister. Un morceau de pain contient un nuage. Sans nuage, le blé ne pourrait pas pousser. C'est pourquoi en mangeant un morceau de pain vous mangez le nuage, vous mangez le soleil, vous mangez les minéraux, le temps, l'espace, tout.

L'un contient le tout. Avec l'énergie de la pleine conscience, on peut voir les choses en profondeur. Tout comme avec l'Esprit Saint on peut voir les choses profondément. La pleine conscience est l'énergie du Bouddha. L'Esprit Saint est l'énergie de Dieu. Toutes deux ont la capacité de nous rendre présents, pleins de vie, d'amour et de compréhension. C'est pourquoi nous devons vivre notre vie quotidienne en pleine conscience, avec l'Esprit Saint, de façon à vivre profondément chaque instant de notre vie. Si nous ne vivons pas chaque instant en profondeur, nous ne pourrons jamais toucher la dimension ultime, la dimension des noumènes.

La vague et l'eau semblent être deux choses distinctes, mais en réalité elles ne font qu'une. Sans eau, il n'y aurait pas de vague, et si l'on retire la vague il n'y aura pas d'eau.

Il y a deux niveaux et deux sortes de relations. Lorsqu'on parle de cause et d'effet, il faut savoir de quel niveau il est question. Celui des phénomènes ou des noumènes ? Il est très important de ne pas confondre les deux.

En Asie, il y a deux écoles du bouddhisme, l'école Madhyamika et l'école Dharmalakshana, cette dernière mettant l'accent sur la contemplation séparée des noumènes (le niveau de la nature véritable) et les choses qui se révèlent d'elles-mêmes au niveau des phénomènes. L'école Madhyamika enseigne la vacuité, *shunyata*, tandis que l'école Dharmalakshana enseigne les aspects phénoménaux de la réalité. L'école Dharmalakshana nous invite à toucher le monde des phénomènes, et l'école Madhyamika nous aide à comprendre plus profondément le monde des noumènes. L'école Madhyamika nous invite à toucher l'eau et l'école Dharmalakshana à toucher les vagues. Les deux écoles disent qu'il ne faut pas confondre la relation entre deux vagues et la relation entre la vague et l'eau. Il convient d'observer et de contempler le nouménal et le phénoménal séparément. Bien sûr, il y a une relation entre l'eau et la vague, mais cette relation est très différente de la relation entre deux vagues. C'est très important. Lorsqu'on dit que cette vague est faite de toutes les autres vagues, on se situe dans le monde phénoménal. On parle de causes et d'effets en termes de phénomènes. Mais c'est tout autre chose que d'affirmer qu'une vague est faite d'eau. Le fait de distinguer les deux relations évitera de perdre du temps, de l'encre et de la salive.

Quand vous dites que l'humanité a été créée par Dieu, vous parlez de la relation entre l'eau et la vague. Dieu n'a pas créé l'homme de la même manière qu'un menuisier a créé une table. Tous nos amis chrétiens seront d'accord sur ce point. La manière dont Dieu a créé le cosmos est assez différente. On ne peut confondre les deux dimensions. On ne peut considérer Dieu comme une chose qui opère dans le monde des phénomènes. De nombreux théologiens ont pu le constater. Paul Tillich a dit que « Dieu est l'essence de l'être » ou le « fondement de l'être ». L'« essence de l'être » est l'aspect nouménal de la réalité. Dieu n'est pas un être dans le monde phénoménal. Il est l'essence de l'être. Je pense que les chrétiens comme les bouddhistes ne devraient pas avoir de mal à s'entendre sur ce point.

On peut parler du monde phénoménal mais il est très difficile de parler du monde nouménal. Nos concepts et nos mots ne peuvent décrire Dieu. Aucun des adjectifs et des noms utilisés pour décrire les vagues ne peut rendre compte de Dieu.

On peut dire d'une vague qu'elle est grosse ou petite, belle ou laide, qu'elle s'élève ou s'abaisse ; mais aucune de ces notions ne peut être appliquée à l'eau. Dieu n'est ni gros ni petit. Dieu n'a ni commencement ni fin. Dieu n'est ni plus beau ni moins beau. Aucune idée permettant de décrire le monde phénoménal ne peut s'appliquer à Dieu. Mieux vaut par conséquent ne rien dire au sujet de Dieu. Pour moi, le vrai théologien est celui qui ne parle jamais de Dieu.

Le fait qu'on ne puisse pas parler de Dieu ne signifie pas que Dieu n'est pas accessible. Je suis d'accord avec André Gide quand il dit que « Dieu est présent vingt- quatre heures par jour ». La question est de savoir si l'on touche Dieu vingt-quatre heures par jour ou même une heure par jour.

Toucher Dieu, toucher le nirvâna

Dans la pratique chrétienne comme dans la pratique bouddhique, si vous n'êtes pas capable de toucher le monde phénoménal en profondeur, il vous sera très difficile voire impossible de toucher le monde nouménal – l'essence de l'être. Si vous êtes conscient de l'air pur que vous respirez, si vous pouvez le toucher profondément, le savourer pleinement, vous avez une chance de toucher l'*essence* de l'air pur. C'est comme pour la vague lorsqu'elle touche l'eau. Cette pratique qui consiste à toucher profondément les choses au niveau horizontal nous donne la capacité de toucher Dieu – de toucher le niveau nouménal de la dimension verticale.

Nous savons que la vague est l'eau, et que l'eau est l'essence de la vague. La vague souffre parce qu'elle oublie cet élément fondamental. Lorsqu'elle se compare à d'autres vagues, elle souffre. Elle éprouve de la colère, de la jalousie et de la peur parce qu'elle n'est pas capable de toucher l'essence de l'être, qui est l'eau. Si la vague apprend à toucher profondément l'eau, son essence, elle transcendera sa peur, sa jalousie et toutes sortes de souffrances.

En touchant la dimension ultime, nous obtenons le plus grand soulagement, et c'est ce que nous devons pratiquer de notre mieux dans notre vie quotidienne. On peut toucher l'ultime en buvant une tasse de thé ou en pratiquant la marche méditative, ce qui signifie qu'on peut toucher le monde nouménal en touchant profondément le monde phénoménal.

Dans le bouddhisme on parle du nirvâna, bien qu'on soit censé ne pas en parler car le nirvâna relève du niveau nouménal, qui ne peut être décrit par des notions, des concepts ou des mots. La seule chose qu'on puisse dire du nirvâna, c'est qu'il transcende toutes les notions et tous les concepts.

Dans le monde phénoménal, on peut voir qu'il y a la naissance et la mort. On peut aussi voir l'apparition et la disparition, l'être et le non-être. Mais dans le nirvâna, qui est l'essence de l'être équivalent à Dieu, il n'y a ni naissance ni mort, ni allée ni venue, ni être ni non-être. Tous ces concepts sont transcendés.

Peut-on toucher le nirvâna ? Vous êtes déjà le nirvâna. Le nirvâna est accessible vingt-quatre heures par jour. C'est comme la vague et l'eau. Il est donc inutile d'aller le chercher ailleurs ou dans le futur, car vous l'êtes déjà. Le nirvâna est l'essence de votre être.

L'une des manières de toucher le monde de la non-naissance et de la non-mort consiste à toucher le monde de la naissance et de la mort. Votre corps contient le nirvâna. Vos yeux, votre nez, votre langue, votre corps et votre esprit contiennent le nirvâna. En les touchant profondément, vous toucherez l'essence de votre être. Si vous pensez qu'il faut tout abandonner dans ce monde pour toucher Dieu, je doute que vous y arriviez. Si vous rejetez tout ce qui est en vous et autour de vous – la forme, les sensations, les perceptions, les formations mentales et la conscience –, vous ne pourrez jamais toucher le nirvâna. Si vous jetez toutes les vagues, vous n'aurez plus d'eau à toucher.

Ni une personne, ni moins qu'une personne

Le premier principe à retenir, c'est qu'il ne faut pas confondre le niveau phénoménal et le niveau nouménal. On peut parler du nirvâna ou de Dieu en termes de phénomènes, ce qui nous évitera une perte de temps et d'énergie. Lorsqu'on se pose la question de savoir si Dieu est une personne ou non, on essaie de comparer l'essence de l'être à une expression qui relève du niveau phénoménal. Et c'est une erreur. Pourquoi perdre son temps à se demander si Dieu est une personne ou non, ou si le nirvâna est personnel ou impersonnel ?

Teilhard de Chardin, scientifique et théologien français, a dit un jour que le cosmos est « profondément personnel et personnalisant, qu'il est en processus de personnalisation tout le temps ». Teilhard de Chardin est pris dans un conflit entre personnel et non-personnel, ce qui reste une analyse dualiste. Dans sa pensée il y a l'idée qu'il s'agit de deux choses bien distinctes : l'une étant la personne et l'autre la non-personne, ce qui revient à affirmer que tout ce qui n'est pas une personne est une non-personne. C'est la dualité, et c'est là où il s'égare. Que Dieu soit ou non une personne est une question que beaucoup se posent. Les théologiens et d'autres parmi nous cherchent toujours une réponse. On économiserait beaucoup d'énergie en admettant que cela ne sert absolument à rien, car nous savons qu'il faut transcender tous les concepts si nous voulons toucher profondément l'essence de notre être.

Lorsque nous nous demandons : « Dieu est-il une personne ou non ? », nous nous égarons. Dieu n'est ni une personne ni une non-personne. Un théologien allemand l'a exprimé d'une manière très belle : « Dieu n'est ni une personne, ni moins qu'une personne. » On dirait une parole zen. Pourquoi faudrait-il emprisonner Dieu dans la notion de personne ou de non-personne ? Avons-nous vraiment besoin de définir Dieu ainsi ?

Dans la vision bouddhiste, il n'y a pas de séparation entre les deux. La personne contient la non-personne et la non-personne contient la personne. Dans le christianisme, on a consacré beaucoup de temps et d'énergie à se demander si Dieu était une personne. Mais dans le bouddhisme ce n'est pas un gros problème, car on sait qu'une personne est faite d'éléments non-personne et vice versa. Quand vous regardez une personne, vous pouvez voir en elle les éléments non-personne, comme les animaux et les végétaux. Quand vous regardez quelqu'un, vous voyez déjà le Bouddha. Vous n'avez pas besoin que le Bouddha se manifeste à travers votre perception pour reconnaître qu'il existe. Parce que vous pouvez déjà voir le citron dans le citronnier en fleur.

Pour pénétrer profondément la réalité, vous devez vous défaire des notions. On peut dire que la vague est haute ou basse, belle ou moins belle, qu'elle apparaît ou disparaît, qu'elle naît ou meurt. Mais on ne peut utiliser ces notions pour parler de l'eau. Alors à quoi bon se demander si Dieu est ou non une personne ?

Au-delà des formes

Si le dialogue entre le bouddhisme et le christianisme est encore balbutiant, d'après moi, c'est parce que nous n'avons pas su établir un terrain solide à cet effet. Telle est la situation actuelle.

Les bouddhistes croient en la réincarnation, c'est-à-dire la possibilité pour les êtres humains de vivre plusieurs vies. Dans les milieux bouddhistes, on parle plus de *renaissance* que de réincarnation. C'est-à-dire que vous renaissez après la mort, vous avez une nouvelle vie.

Dans le christianisme vous n'avez qu'une vie et

c'est votre seule chance de salut. Si vous la gâchez, vous n'obtiendrez jamais le salut.

Le bouddhisme enseigne qu'il y a le non-soi, *anatta.*

Le christianisme enseigne clairement qu'un chrétien est « personnaliste ». Non seulement vous êtes une personne, un soi, mais Dieu aussi est une personne dotée d'un soi.

L'enseignement bouddhiste de la vacuité et de la non-substance fait penser à un enseignement sur le non-être.

Le christianisme parle d'être, d'existence. L'enseignement de saint Thomas d'Aquin parle de la philosophie de l'être, c'est-à-dire la confirmation que le monde est.

Il y a de la compassion et de la bienveillance dans le bouddhisme, deux notions que nombre de chrétiens ont souvent considérées comme différentes de la charité et de l'amour dans le christianisme. La charité comporte deux aspects : votre amour pour Dieu et votre amour pour l'humanité. Vous devez apprendre à aimer votre ennemi. Nos amis chrétiens nous rappellent souvent que la motivation de l'amour n'est pas la même chez les chrétiens et chez les bouddhistes. Certains théologiens disent que les bouddhistes pratiquent la compassion uniquement pour atteindre la libération, sans vraiment se soucier de la souffrance des gens et des autres êtres vivants, leur seule motivation étant leur désir d'être libérés. Dans le christianisme, votre amour s'établit en Dieu. Et comme Dieu a dit que vous devez aimer votre prochain, vous aimez votre prochain. Votre amour pour votre prochain provient de l'essence de votre amour pour Dieu.

Nombreuses sont les personnes, particulièrement dans les milieux chrétiens, qui voient des points communs entre le christianisme et le bouddhisme. Mais pour d'autres les fondements philosophiques du christianisme et du bouddhisme sont très différents. Le bouddhisme parle de renaissance, d'avoir plusieurs vies ; tandis que selon le christianisme vous n'avez qu'une vie, celle-ci. Le bouddhisme enseigne qu'il n'y a pas de soi et le christianisme qu'il y a un vrai soi. Le bouddhisme enseigne la vacuité, la non-substance, tandis que le christianisme confirme la réalité de l'existence. Comme la base philosophique est très différente, certains en concluent que la pratique de la compassion et de la bienveillance dans le bouddhisme est forcément différente de la charité et de l'amour dans le christianisme. C'est à mon sens une façon très superficielle de voir les choses. En approfondissant notre pratique dans notre propre tradition, nous verrons que ces questions ne sont pas fondées.

Pour commencer, il y a de nombreuses formes de bouddhisme et bien des manières de le comprendre. Prenez cent personnes qui pratiquent le bouddhisme et vous aurez cent formes différentes de bouddhisme. Il en est de même du christianisme. Prenez cent mille personnes qui pratiquent le christianisme et vous aurez peut-être cent mille façons de comprendre le christianisme.

Au Village des Pruniers, où de nombreuses personnes venant de différentes traditions viennent pratiquer, il n'est pas rare qu'un bouddhiste trouve un chrétien plus bouddhiste qu'un autre bouddhiste. Je vois un bouddhiste, mais sa manière de comprendre le bouddhisme est assez différente de la mienne. Et quand je regarde un chrétien, je vois que sa façon de comprendre le christianisme et de pratiquer l'amour et la charité est plus proche de ma façon de pratiquer que celle de cet homme que l'on dit bouddhiste.

C'est tout aussi vrai du christianisme. Vous pouvez vous sentir très éloigné de votre frère chrétien. Vous pensez que le frère qui pratique dans la tradition bouddhiste est bien plus proche de vous comme chrétien. Le bouddhisme n'est donc pas le bouddhisme et le christianisme n'est donc pas le christianisme. Il existe de nombreuses formes de bouddhisme et de nombreuses façons de comprendre le bouddhisme. De même, il y a bien des manières de comprendre le christianisme. C'est pourquoi il faut se défaire de toute idée préconçue sur le christianisme et le bouddhisme.

Nous ne cherchons pas à dire que le bouddhisme est une forme de christianisme ou le christianisme une forme de bouddhisme. Une mangue n'est pas une orange. Je ne peux pas dire qu'une mangue est une orange. Il y a des différences. Il faut préserver les différences. C'est bien d'avoir des différences. Vive la différence ! Mais quand vous observez profondément la mangue et l'orange, vous voyez que, bien que différentes, elles sont toutes deux des fruits. Si vous analysez encore plus profondément la mangue et l'orange, vous verrez qu'elles contiennent les mêmes éléments, comme le soleil, les nuages, du sucre et de l'acidité. Si vous passez encore plus de temps à les regarder profondément, vous découvrirez que la seule différence entre elles tient au degré, à l'accentuation. À première vue, vous voyez les différences entre l'orange et la mangue ; mais un examen approfondi vous révèle tout ce qu'elles ont en commun. Dans l'orange vous trouvez de l'acidité et du sucre, qui sont aussi présents dans la mangue. Même deux oranges ont un goût différent, l'une étant plus acide ou plus sucrée que l'autre.

Regard profond : pleine conscience et présence de Dieu

Nos amis chrétiens et juifs parlent de faire chaque chose en présence de Dieu. Vous allumez une bougie, vous prenez votre repas, vous embrassez votre enfant, vous parlez à quelqu'un, vous faites tout dans votre vie quotidienne comme si Dieu vous écoutait, vous regardait et savait tout ce que vous faites. Tout ce que vous faites, vous le faites en présence de Dieu.

On ne parle pas de pleine conscience dans les milieux chrétiens et juifs parce que c'est un terme bouddhiste. Mais qu'est-ce que la pleine conscience ? La pleine conscience, c'est être conscient de tout ce que vous faites chaque jour. La pleine conscience est comme une lampe qui éclaire toutes vos pensées, vos sentiments, vos actions et vos paroles. La pleine conscience est le Bouddha. La pleine conscience est l'équivalent de l'Esprit Saint, l'énergie de Dieu.

Observons la nature impermanente des choses. Je ne pense pas que nos amis chrétiens ignorent la nature impermanente des choses. Vous naissez, vous grandissez et vous changez chaque jour dans votre corps, vos sensations, vos perceptions, vos formations mentales, etc. Tout change.

Non seulement votre physique change, mais aussi votre esprit. Cette observation vous fait prendre conscience qu'il n'y a pas d'entité permanente que l'on puisse appeler le soi. Aucun des cinq éléments auxquels nous nous identifions ne reste identique. Les cinq éléments sont le corps, les sensations, les perceptions, les activités mentales et la conscience. Ces éléments ne cessent de changer. Votre nom reste peut-être identique tout au long de votre vie – David ou Angelina –, mais vous changez sans arrêt. Seule la compréhension du nom peut changer. Quand une personne devient plus agréable, son nom devient plus agréable aussi.

L'impermanence est la réalité des choses dans le monde des phénomènes. C'est une chose connue en Orient comme en Occident. « Personne ne peut se baigner deux fois dans le même fleuve », dit-on en Occident. Confucius était sur un pont quand il a dit que l'eau « s'écoule sans cesse comme ce jour et cette nuit ». C'est le même genre de compréhension. Si tout est impermanent, il ne peut y avoir d'entité permanente. C'est le sens du non-soi. Le non-soi ne signifie pas « non-personne » ou « non existant ». Bien qu'étant caractérisé par le non-soi, vous continuez d'être une personne avec un corps, des sensations, des perceptions, des formations mentales et une conscience. Vous continuez d'être une personne, mais une personne dénuée d'un soi séparé.

Existe-t-il une seule chose qui ait un soi séparé ? Non. L'arbre qui se dresse dans la cour n'a pas de soi séparé. Sans le soleil, sans les nuages, sans l'air, sans les minéraux, l'arbre ne pourrait pas exister. Un arbre est fait d'éléments non-arbre. Le soi de l'arbre est fait du soi des éléments non-arbre.

Ne soyons pas prisonniers des mots. Touchons la réalité profondément et transcendons tous les mots ! Une personne n'est possible que dépourvue d'un soi. En raison de l'impermanence et du non-soi, tout est possible, y compris la personne.

J'ai connu un Anglais qui étudiait le bouddhisme et qui ne cessait de répéter que toute chose est impermanente tout en se plaignant sans arrêt de cette impermanence. Un jour, sa fille lui dit : « Papa, si les choses n'étaient pas impermanentes, comment pourrais-je grandir ? » C'était très intelligent de sa part. Pour que sa fille puisse grandir, les choses doivent être impermanentes, sans quoi elle aurait douze ans toute sa vie. L'impermanence est donc la première condition pour que la vie soit possible. Grâce à l'impermanence, tout est possible.

La démocratie n'est pas possible sans impermanence. Vous avez l'espoir de transformer un régime non démocratique en régime démocratique, grâce à l'impermanence. Quand vous plantez un grain de maïs dans le sol humide, vous espérez qu'il va pousser et devenir un bel épi de maïs. Si les choses n'étaient pas impermanentes, comment le grain de maïs pourrait-il devenir un épi de maïs ? Si la plante ne mûrissait pas, ne produisait pas de graine et ne mourait pas, comment pourrait-on avoir un nouvel épi de maïs ? C'est aussi dans la Bible. Par conséquent, c'est grâce à l'impermanence et au non-soi que tout est possible, y compris la personne.

Le piège de la notion de non-soi

Il y a des bouddhistes qui sont prisonniers de la notion de non-soi. C'est regrettable, car le Bouddha nous a enseigné l'impermanence et le non-soi pour nous aider à dépasser toutes les notions, y compris celle d'un soi séparé. Il faut donc prendre garde à ne pas devenir prisonnier de la notion de non-soi.

Il y a toujours des gens prêts à embrasser une doctrine, une notion ou un dogme, et qui passent à côté de l'enseignement véritable. Un jour, une femme demanda à un moine assis sous un arbre : « Vénérable, avez-vous vu passer une femme ? » Il répondit : « Non, je n'ai vu passer aucune femme. J'ai seulement vu un assemblage d'os et de chair et les cinq éléments. »

C'est ridicule. Ce moine était pris au piège de la notion de non-soi. Vous pouvez imaginer la déception du Bouddha face à ce disciple qui était prisonnier de son enseignement sur l'impermanence et le non-soi. L'enseignement de l'impermanence et du non-soi a pour seul but de nous montrer que tout est relié à tout le reste, c'est l'enseignement de l'interêtre. Sans cela, le reste ne peut exister. Une vague est faite de toutes les autres vagues. Un électron est fait de tous les autres électrons. Les savants de la physique nucléaire commencent à parler en ces termes.

En Inde, au VIe siècle, beaucoup de moines et de laïcs étaient prisonniers de l'idée du non-soi, ce qui suscita une vive réaction de la part de ceux qui avaient mieux compris le bouddhisme. Ils créèrent une nouvelle école du bouddhisme affirmant qu'il y a un soi. On pourrait croire qu'ils enseignaient exactement le contraire du Bouddha, mais en réalité ils étaient plus intelligents que les autres. On les qualifia de « personnalistes », *pudgalavada* en sanscrit. *Pudgala* signifie « la personne ».

Quand le célèbre maître chinois Xuan Zhuang arriva en Inde pour apprendre le bouddhisme, plus de soixante mille moines étaient rattachés à l'école Pudgalavada. L'idée que « la personne est » leur plaisait beaucoup. Je pense que ces moines sauraient très bien parler à nos frères et sœurs protestants et catholiques, parce qu'ils avaient compris que, tout en acceptant l'enseignement et la pratique du non-soi et de l'impermanence, on n'en reste pas moins une personne.

Voici une phrase relevée dans les sûtras par les moines de l'école Pudgalavada : « Il y a une personne dont l'apparition dans le monde est pour le bienfait de tous. Qui est cette personne ? Le Tathagatha (le Bouddha). » Ce qui signifie qu'on peut trouver dans les écritures bouddhiques des phrases avec le mot « personne », y compris pour évoquer la personne du Bouddha.

« Joyeuse continuation ! »

Nous renaissons quotidiennement. Savez-vous renouveler votre vie quotidienne à chaque instant ? Avez-vous appris à transformer votre souffrance et votre manque de compréhension pour devenir une nouvelle personne ?

Avec la pratique du regard profond, vous verrez que les notions de naissance et de mort peuvent être transcendées.

Naître signifie que de personne vous devenez soudain quelqu'un, qu'à partir de rien vous devenez soudain quelque chose. C'est notre idée de la naissance. Mais si vous observez profondément une vague, vous verrez que la vague ne provient pas de rien. Rien ne vient de rien. Avant d'être là, l'arbre était ailleurs. Il était une graine, et avant cela il faisait partie d'un autre arbre. Avant de tomber, la pluie était un nuage. La pluie ne naît pas, elle est une transformation du nuage. C'est une continuation. Si vous regardez la pluie profondément, vous y reconnaîtrez le nuage qui est la vie antérieure de la pluie.

Selon l'enseignement du Bouddha, il n'y a pas de naissance, seulement une continuation.

Le jour de votre anniversaire, au lieu de chanter « Joyeux anniversaire ! », vous pourriez chanter « Joyeuse continuation ! ». Vous étiez déjà là, mais vous ne savez pas depuis quand. Vous n'êtes jamais né et vous ne mourrez pas, car mourir signifie que de quelqu'un vous devenez soudain personne. De quelque chose vous n'êtes soudain plus rien. Mais rien ne se passe ainsi. Même quand vous brûlez un morceau de tissu, il ne devient pas rien. Il se transforme en chaleur qui pénètre le cosmos. Il prend la forme d'une fumée qui s'élève dans le ciel pour faire partie d'un nuage. Il devient de la cendre qui tombe par terre et se manifestera demain sous la forme d'une feuille, d'un brin d'herbe ou d'une fleur. Il n'y a qu'une continuation.

Le regard profond nous aide à transcender les notions de naissance et de mort. *Renaissance* n'est peut-être pas le meilleur terme, il serait plus juste de parler de *continuation.* Tout le monde peut se rendre compte de la nature de non-naissance et de non-mort de toutes les choses. Les scientifiques s'accordent à dire qu'il n'y a ni naissance ni mort, ce qui vaut pour tout. Le chimiste Lavoisier a dit : « Rien ne se crée, rien ne se perd. » Ce sont exactement les termes utilisés dans le Sûtra du Cœur de la *Prajnaparamita.* Pourtant, Lavoisier n'a jamais pratiqué le Sûtra du Cœur.

Quand vous touchez profondément le monde des phénomènes, vous touchez le monde ultime, celui de la non-naissance et de la non-mort. L'ultime est le nirvâna, l'ultime est Dieu, et il est présent vingt-quatre heures par jour.

Un disciple demande un jour au maître zen vietnamien du XIIe siècle Thien Hoi où se trouve le monde de la non-naissance et de la non-mort. Maître Thien Hoi lui répond : « Précisément dans le monde de la naissance et de la mort. » C'est très simple et très clair. Examinez profondément la nature d'une chose – un arbre, un morceau de tissu ou un nuage – et vous y découvrez leur nature de non-naissance et de non-mort. Il est très important d'apprendre à toucher les choses profondément pour découvrir leur nature de non-naissance et de non-mort.

Être ou ne pas être

Toutes les choses sont sans allée ni venue. Le Bouddha a dit que lorsque les conditions sont réunies, les choses se révèlent d'elles-mêmes. Elles ne viennent pas de nulle part. Quand les conditions ne sont plus suffisantes, elles se cachent. Elles cessent simplement de se manifester et d'être un objet de notre perception. Elles ne vont pas nulle part. Ce n'est qu'une question de conditions.

Si nous regardons profondément dans la nature de la réalité, nous transcendons la notion d'allée et venue, d'être et de non-être. Quand les conditions sont réunies et que vous voyez les choses, vous parlez d'*être*. Quand les conditions ne sont plus réunies et que vous ne pouvez plus voir les choses, vous parlez de *non-être*. Vous dites que *vous n'êtes plus*. Mais la réalité ne peut être décrite en termes d'être et de non-être. Être et ne pas être sont des notions que vous avez créées, tout comme les notions de naissance et de mort, d'allée et venue. Vous ne pouvez plus voir votre bien-aimée mais cela ne signifie pas que de l'être elle est passée au non-être. Admettre cette vérité vous aidera à moins souffrir. Et si vous admettez cette vérité à votre sujet, vous transcenderez votre peur de mourir et votre peur de n'être plus rien.

Peut-on dire que selon le bouddhisme la réalité

de toute chose est le non-être ? Non. La vacuité signifie la vacuité d'une existence séparée, la vacuité d'une entité permanente, la vacuité de tous les concepts. L'enseignement de la vacuité nous aide à transcender la notion de naissance et de mort, la notion d'allée et venue, la notion d'être et de non-être. Tant que vous serez prisonnier de la notion d'être ou de non-être, vous ne pourrez pas toucher l'ultime.

Ce ne serait donc pas correct de dire que le christianisme enseigne l'être et le bouddhisme le non-être. Si vous étudiez le bouddhisme, vous verrez que la pratique consiste à transcender ces deux notions d'être et de non-être. Pour un bouddhiste, « être ou ne pas être » n'est pas la question. La question est de savoir si vous pouvez ou non transcender ces notions.

Toucher l'essence de l'être

Dans le christianisme comme dans le bouddhisme, en Orient comme en Occident, nous avons cette notion : le Tout, la réalité ultime, l'essence de l'être. Pour nos amis chrétiens, les bouddhistes n'aiment pas concevoir le Tout ou l'essence de l'être comme une personne. C'est ce qui les dérange le plus. Certains pensent que pour les bouddhistes le Tout, ou l'essence de l'être, est une non-personne. Mais ce n'est pas vrai du tout. Vous l'aurez certainement déjà remarqué dans votre vie quotidienne. Chaque fois que vous contemplez un arbre, même si vous savez que l'arbre n'est pas une personne, votre relation avec lui n'est pas une relation entre une personne et une non-personne.

Il y a de la pensée dans le ciel bleu

Quand je touche un rocher, je ne le considère pas comme inanimé. L'arbre est esprit, le rocher est esprit. L'air, les étoiles, la lune, tout est conscience. Ils sont tous des objets de votre conscience. Que voulez-vous dire en disant : « Le vent souffle » ? Vous avez la perception que le vent souffle, alors vous dites : « Je sais que le vent souffle. » C'est une perception. Le vent souffle probablement, mais il se peut que la personne à côté de vous ne l'ait pas remarqué. Du fait de cette perception, vous essayez de lui dire que le vent souffle.

C'est plutôt curieux de dire que « le vent souffle ». Le vent doit souffler, sans quoi il ne serait pas le vent. Dire qu'il « souffle » est donc inutile. Il suffit de dire « vent ». Qu'est-ce que le vent ? Le vent est votre perception, votre conscience. Selon votre perception, il y a du vent. La seule chose dont vous puissiez être certain, c'est que le vent est l'objet de votre perception. Votre perception est faite du sujet et de l'objet, de celui qui perçoit et de ce qui est perçu. Le vent fait partie de votre conscience. Le vent est l'objet de votre perception.

L'objet de votre perception peut très bien être créé sans aucune base. Vous imaginez qu'une personne veut vous détruire alors qu'elle n'en a aucunement l'intention.

L'esprit crée toutes sortes de choses. Dans l'enseignement de l'école Dharmalakshana, vous apprenez à regarder les choses comme des objets de votre conscience, et non comme des entités séparées et indépendantes. En observant le ciel profondément, vous ne voyez pas le ciel bleu comme quelque chose de séparé de vous, d'inanimé. Vous percevez le ciel comme votre conscience. C'est aussi la conscience collective. Une école de pensée de Princeton affirme qu'il y a de la *pensée* dans le ciel bleu. Il y a de la *pensée* dans le nuage, il y a de la *pensée* dans les étoiles. Vous voyez le ciel comme de la conscience. Le ciel *est* conscience, les nuages *sont* conscience, les étoiles *sont* conscience. Ils ne sont pas des objets inanimés, séparés de votre conscience. Alors vous vous entraînez à ne pas voir les objets de votre perception comme indépendants des perceptions. La grande conscience se manifeste. Tout est vu comme conscience. Dans les milieux non bouddhistes, on en arrive très souvent aux mêmes conclusions que le Bouddha.

D'après mon expérience, quand je touche un arbre, quand je regarde un oiseau, quand je contemple l'eau dans la crique, je les admire non pas parce qu'ils ont été créés par Dieu ou qu'ils ont la nature de Bouddha, je les admire parce qu'ils sont des arbres, des rochers, de l'eau. Je m'incline devant un rocher parce qu'il est un rocher. Je ne m'incline pas devant un rocher parce qu'il serait habité par un esprit, pas plus que je ne considère le rocher comme un être inanimé. Car pour moi le rocher n'est rien d'autre que la conscience, l'esprit lui-même.

Beaucoup de nos amis chrétiens sont tristes

quand les bouddhistes appellent l'esprit par un autre nom que *Dieu.* Teilhard de Chardin était choqué qu'on puisse appeler l'Esprit Saint « le Tout » ou « l'esprit », et non Dieu. Mais pourquoi faudrait-il utiliser le mot Dieu quand on sait que pour beaucoup Dieu est une personne au sens phénoménal ? En revanche, si les gens savaient que Dieu n'est pas une personne, mais pas moins qu'une personne, comme l'a dit Paul Tillich, alors on pourrait sans problème utiliser le mot Dieu.

Le Bouddha possède de nombreux corps. Il a un corps physique et un corps de Dharma. Avant de rendre son dernier souffle, il a dit à ses disciples : « Ce corps physique n'est pas important. Touchez mon corps de Dharma. Mon corps de Dharma sera toujours là avec vous. »

Qu'est-ce que le Dharma ? Le Dharma n'est pas un système de doctrines et de pratiques, ni une bibliothèque remplie de sûtras ou de cassettes audio ou vidéo. Le Dharma est la compréhension, la pratique de la bonté aimante dans la vie. Vous n'avez pas vu le Dharma tant que vous n'avez pas vu une personne qui pratique le Dharma et le rend manifeste pour tout le monde, par exemple une moniale qui marche en pleine conscience, touche la Terre profondément et rayonne de paix et de joie. Elle n'est pas en train de donner un enseignement ou de vous montrer une cassette vidéo sur le Dharma, elle exprime le Dharma vivant. Et si elle exprime le Dharma vivant, c'est justement parce qu'elle est une personne. Nous pouvons toucher notre corps de Dharma dans notre corps physique. Le Bouddha a un corps de Dharma, et son corps de Dharma continuera d'être vu et touché aussi longtemps qu'il y aura des gens pour pratiquer le Dharma. Tout ceci n'est possible qu'avec le non-soi et l'impermanence.

Aimer Bouddha, aimer Dieu

Quand on parle d'aimer le Bouddha, que veut-on dire ? A-t-on besoin d'aimer le Bouddha ? Le Bouddha a-t-il besoin d'être aimé ? Nous pratiquons l'invocation et la récitation du nom du Bouddha pour que le Bouddha soit présent dans notre esprit et dans notre vie quotidienne. Le Bouddha a-t-il besoin d'être aimé, invoqué et glorifié ? Je ne crois pas. Je ne pense pas que le Bouddha ait besoin d'amour. Nous pouvons ressentir de l'amour pour le Bouddha comme nous ressentons de l'amour pour nos parents et nos maîtres. Le Bouddha est notre maître. Bien sûr, nous avons de l'admiration pour notre maître, le Bouddha. Le Bouddha a bien pratiqué, il est courageux, plein de compassion et de compréhension et il est libre. Il souffre moins que nous parce qu'il y a beaucoup de compréhension, de compassion et de bienveillance en lui. Vous aimez une personne lorsqu'elle a besoin de vous. Quand cette personne souffre, votre amour apaise sa souffrance. Votre amour est là pour lui apporter du bonheur. C'est le sens de l'amour. Il est facile de voir que les êtres humains qui souffrent autour de nous ont besoin de notre amour. Mais peut-on dire que notre salut, notre libération, dépend de notre amour pour le Bouddha ?

Je ne crois pas. Si vous louez le Bouddha, ce n'est pas parce que le Bouddha veut être loué.

Pourtant, en louant le Bouddha, vous touchez et vous arrosez les bonnes graines en vous. Selon la pratique, le Bouddha est la pleine conscience, la compréhension et l'amour. Quand vous touchez les graines de compréhension, de pleine conscience et d'amour en vous-même, vous faites grandir ces qualités pour votre propre bonheur, celui des autres et de tous les êtres vivants autour de vous. Quand vous allumez un bâton d'encens, ce n'est pas pour le Bouddha. Le Bouddha n'a pas besoin de votre encens. Mais en allumant l'encens, en vous inclinant profondément, en rendant hommage au Bouddha, vous arrosez les bonnes graines en vous. C'est la pratique. Avec la pleine conscience, la compréhension et l'amour, vous souffrez beaucoup moins, vous commencez à vous sentir heureux et tout le monde autour de vous en profite.

Lorsqu'un chrétien dit qu'il fait les choses d'une certaine façon parce qu'il aime Dieu, quel sens cela a-t-il ? Comment aime-t-il Dieu ? Aime-t-il Dieu comme il aime son père, sa mère ou son maître ? Son père, sa mère ou son maître ont peut-être des difficultés. Dans leur souffrance, peut-être ont-ils besoin de son amour et de son soutien. Dans le christianisme, si vous aimez Dieu, vous devez aimer votre prochain, sinon vous ne pouvez pas dire que vous aimez Dieu. Ensuite il faut aller plus loin, jusqu'à aimer votre ennemi.

Pourquoi faut-il aimer son ennemi ? Comment peut-on aimer son ennemi ?

Dans l'enseignement du Bouddha, c'est très clair. Le bouddhisme nous enseigne que la compréhension est l'essence de l'amour. Avec la pleine conscience, vous voyez que l'autre personne souffre, et c'est justement ce qui vous motive à tout faire pour qu'elle ne souffre plus. Vous savez qu'il y a des choses à éviter pour mettre un terme à sa souffrance et d'autres choses qui pourraient lui apporter un soulagement.

À partir du moment où vous commencez à voir la souffrance en l'autre, la compassion naît en nous. Dès lors, l'autre n'est plus votre ennemi et vous pouvez l'aimer. Quand vous prenez conscience de la souffrance de votre soi-disant ennemi, vous voulez l'aider et il cesse d'être votre ennemi.

Lorsqu'on hait quelqu'un, on est en colère contre lui parce qu'on ne le comprend pas. Avec la pratique du regard profond, on se rend compte que si l'on avait grandi dans les mêmes conditions et le même environnement, on serait exactement comme lui. Ce genre de compréhension fait disparaître votre colère et votre discrimination. Soudain, cette personne n'est plus votre ennemi et vous pouvez l'aimer. Aussi longtemps qu'elle demeure votre ennemi, l'amour est impossible. Vous pouvez aimer votre ennemi à partir du moment où vous ne voyez plus un ennemi en lui. Et la seule façon d'y parvenir, c'est de pratiquer le regard profond. Si cette personne vous a fait beaucoup souffrir dans le passé, demandez-vous pourquoi.

Quand vous êtes malheureux, votre malheur se répand partout autour de vous. Mais si vous apprenez l'art de la compréhension et de la tolérance, vous souffrirez beaucoup moins. En regardant les êtres vivants avec les yeux de la compassion, vous vous sentez merveilleusement bien. Vous ne changez rien. Cette simple pratique diminue votre souffrance. Les yeux de la compassion, qu'est-ce que c'est ? Les yeux servent à regarder et à comprendre. Le cœur est fait pour aimer. « Les yeux de la compassion » sont les yeux qui regardent et comprennent. S'il y a de la compréhension, la compassion va apparaître très naturellement. « Les yeux de la compassion » sont les yeux du regard profond, les yeux de la compréhension.

La naissance de l'amour

Dans le bouddhisme, on apprend que la compréhension est l'essence même de l'amour. Si la compréhension n'est pas là, vous ne pouvez pas vous forcer à aimer. Dire : « je dois essayer de l'aimer » est un non-sens. C'est en comprenant l'autre que vous pourrez l'aimer. L'une des choses que j'ai comprises dans l'enseignement du Bouddha, c'est que sans compréhension l'amour n'est pas possible. Si dans un couple mari et femme ne s'entendent pas, ils vont se faire souffrir. La compréhension est donc la clé pour ouvrir la porte de l'amour.

La compréhension, c'est le regard profond. Méditer signifie regarder profondément les choses, les toucher profondément. Une vague doit être consciente des autres vagues autour d'elle. Chaque vague a sa propre souffrance. Vous n'êtes pas la seule personne qui souffre. Vos sœurs et vos frères souffrent aussi. Dès lors que vous voyez la souffrance en eux, vous cessez de leur faire des reproches et vous ne souffrez plus. Si vous êtes persuadé que ce sont les autres qui ont créé votre souffrance, vous devez y regarder de plus près. Votre souffrance provient pour l'essentiel de votre manque de compréhension, de vous et des autres.

On ne peut pas dire que dans le bouddhisme la pratique de la compassion et de l'amour vise à atteindre le salut individuel. La vérité enseignée par le Bouddha, c'est que la souffrance existe. Si vous touchez profondément la souffrance en vous-même et en l'autre, la compréhension naîtra. Si la compréhension est là, l'amour et l'acceptation seront là aussi, et c'est ce qui mettra un terme à la souffrance.

Peut-être avez-vous le sentiment de souffrir plus que les autres ou d'être le seul à souffrir. Mais ce n'est pas vrai. Le fait de reconnaître la souffrance autour de vous vous aidera à moins souffrir. Sortez de vous-même et regardez autour de vous. Noël est une excellente occasion pour cela. La souffrance est en moi, bien sûr, mais elle est aussi en vous. La souffrance est dans le monde.

Jésus est né il y a près de deux mille ans. Il était conscient de la souffrance en lui et dans la société dans laquelle il vivait, mais il n'a pas cherché à éviter la souffrance. Au contraire, il s'est mis en quête de la nature de la souffrance et de ses causes. Il a eu le courage de parler, devenant ainsi un maître pour de nombreuses générations. La meilleure façon de célébrer Noël pourrait être de pratiquer la marche méditative, l'assise en pleine conscience et le regard profond, pour découvrir que la souffrance est bien là, en chacun de nous et dans le monde. Reconnaître la souffrance va soulager ce poids qui pèse depuis si longtemps dans nos cœurs. Selon l'enseignement du Bouddha, si vous touchez profondément la souffrance, vous en comprendrez la nature et le chemin du bonheur se révélera de lui-même.

Dans le bouddhisme, le nirvâna est décrit comme la paix, la stabilité et la liberté. La pratique consiste à réaliser que la paix, la stabilité et la liberté sont à notre portée, ici et maintenant, vingt-quatre heures sur vingt-quatre. Il suffit de savoir comment toucher le nirvâna et d'avoir l'intention et la détermination de le faire. C'est comme l'eau qui est toujours là pour la vague. Il suffit pour la vague de toucher l'eau et de prendre conscience de sa présence.

DEUXIÈME PARTIE

RENTRER CHEZ SOI [1]

Noël et le Nouvel An sont des occasions de revenir chez soi. En Asie, le Nouvel An lunaire est considéré comme un temps pour rentrer chez soi et retrouver ses racines. Si vous êtes chinois ou vietnamien, vous rentrez dans votre famille ce jour-là. C'est un moment de retrouvailles et de partage après une longue absence, où les Asiatiques reprennent contact entre eux et avec leurs ancêtres. Pratiquer le retour chez soi et toucher ses ancêtres, c'est ce que tout le monde a envie de faire le soir du Nouvel An.

Notre vraie demeure

Quand vous écoutez la cloche de la pleine conscience, vous inspirez, vous écoutez profondément le son de la cloche et vous vous dites inté-

1. Enseignement donné le 28 décembre 1995 au hameau d'en haut du Village des Pruniers.

rieurement : « Écoute, écoute. » Puis, en expirant : « Ce son merveilleux me ramène à ma vraie demeure. » Notre vraie demeure, c'est là où nous voulons tous aller. Certains pensent qu'ils n'ont pas de chez-eux.

Que veut dire « notre vraie demeure » ? La dernière fois, nous avons parlé des vagues. Est-ce qu'une vague a un chez-soi ? Quand la vague regarde profondément en elle, elle prend conscience de la présence de toutes les autres vagues. Si nous sommes en pleine conscience, vivant profondément chaque instant de notre vie quotidienne, nous verrons peut-être que chacun et chaque chose autour de nous est notre demeure. Ne voyez-vous pas que l'air que nous respirons est notre demeure ? Ne voyez-vous pas que le ciel bleu, les fleuves, les montagnes, les gens autour de nous, les arbres et les animaux sont notre vraie demeure ? La vague qui regarde profondément en elle s'aperçoit qu'elle est faite de toutes les autres vagues, si bien qu'elle ne se sent plus coupée du reste du monde. Elle sait reconnaître que les autres vagues sont aussi « chez elle ». Quand vous pratiquez la marche méditative, marchez de manière à reconnaître votre demeure, ici et maintenant. Voyez les arbres comme votre demeure, l'air comme votre demeure, le ciel bleu comme votre demeure et la terre sur laquelle vous marchez comme votre demeure.

Il nous arrive parfois de nous sentir très seuls, comme si nous étions coupés de tout. Nous errons depuis si longtemps en quête de notre vraie demeure. Pourtant, nous avons tous un chez-soi et notre pratique consiste justement à rentrer chez nous.

Dans mon pays, lorsqu'un mari parle de sa femme, il dit « ma maison » ou « mon chez-moi ». De même, la femme parle de son mari comme de son « chez-soi ». Dans une conversation, elle dira par exemple : « Mon "chez-moi" a dit que » ou « Mon "chez-moi" n'est pas là pour l'instant. » Il y a certainement des sentiments derrière tout cela.

Où est notre fameux *« Home sweet home »* ? Avec la pratique du regard profond, nous découvrons que notre chez-soi est partout. Nous devons être capables de voir que les arbres sont notre demeure, de même que le ciel bleu. Cette pratique peut sembler difficile mais en réalité elle est très facile. Cessez simplement d'errer et vous serez arrivé chez vous. « Écoute, écoute. Ce son merveilleux me ramène à ma vraie demeure. » La voix du Bouddha, le son de la cloche, le soleil, tout nous appelle à retrouver notre vraie demeure. Une fois de retour chez vous, vous ressentez la paix et la joie que vous méritez.

Si vous êtes chrétien, vous sentez que Jésus-Christ est votre demeure. C'est très agréable de considérer Jésus comme votre maison. Si vous êtes bouddhiste, c'est très bon de penser au Bouddha comme votre maison. Votre maison est accessible ici et maintenant. Le Christ est là, le Bouddha est là. La pratique, c'est de savoir les toucher, de toucher votre chez-soi. Vous appelez le Christ « le Christ vivant », vous ne pouvez donc pas croire que le Christ est seulement quelqu'un qui a vécu dans le passé et qui n'est plus là. Il est éternel. Votre pratique, c'est de le toucher ; il est votre demeure. Si vous êtes bouddhiste, vous pratiquez quasiment la même chose. Vous invoquez le nom du Bouddha et c'est une manière de le toucher, parce que vous savez qu'il est votre demeure. Le Christ vivant, le Bouddha vivant, telle est votre demeure.

Mais le Christ vivant n'est pas seulement une notion ou une idée. Ce doit être une réalité. Il en est de même pour le Bouddha vivant. Comment peut-on reconnaître la présence du Christ vivant ou du Bouddha vivant ? Ce sera précisément votre pratique, que ce soit en écoutant le son de la cloche ou en marchant en pleine conscience, avec concentration.

Quelle est la demeure d'une vague ? La demeure d'une vague est toutes les autres vagues, et c'est aussi l'eau. Si la vague est capable de se toucher très profondément ainsi que les autres vagues, elle verra qu'elle est faite d'eau. Voyant qu'elle est l'eau, elle transcendera la discrimination, la tristesse et la peur. Votre demeure est là, dans l'ici et maintenant. Votre demeure est Jésus ou Dieu. Votre demeure est le Bouddha ou la bouddhéité.

Une personne ou plus qu'une personne ?

Précédemment, nous avons parlé de la réalité de la non-naissance et de la non-mort.

Le nirvâna est notre vraie substance, tout comme l'eau est la vraie substance de la vague. Nous pratiquons pour découvrir un jour que le nirvâna est notre substance. Cette prise de conscience nous fait transcender la peur de la naissance et de la mort, de l'être et du non-être. Dieu est une expression équivalente. Dieu est le fondement de l'être ou, comme nombre de théologiens l'ont dit, tel Paul Tillich : « Dieu est l'essence de l'être. » La semaine dernière, nous avons vu que la notion d'être et de non-être ne peut être appliquée à Dieu ou au nirvâna ; pas plus que la notion de commencement et de fin ne peut être appliquée à l'absolu. C'est pourquoi la notion de personne et de non-personne ne peut être appliquée ni à Dieu ni au nirvâna. C'est donc une perte de temps de se disputer pour savoir si Dieu est une personne ou une non-personne. C'est quelque chose que l'on déconseille dans la pratique bouddhiste, et c'est pourquoi Paul Tillich a dit si habilement : « Dieu n'est pas une personne, mais il n'est pas moins qu'une personne. » C'était une merveilleuse manière d'inviter les gens à ne pas passer trop de temps à se livrer à la spéculation.

Nous sommes des personnes, tout en étant plus que de simples personnes. Êtes-vous seulement une personne ? Ou êtes-vous en même temps un arbre et un rocher ? Avec le regard profond, vous voyez que vous êtes une personne et, en même temps, un rocher et un arbre. Dans la sphère bouddhiste, les gens croient qu'ils étaient des êtres humains, des animaux, des plantes et des minéraux dans des vies antérieures. C'est scientifiquement vrai. En observant profondément l'évolution des espèces, nous voyons que dans des vies passées nous avons été un rocher, un arbre et un animal. Les êtres humains sont de très jeunes créatures. Nous avons évolué pendant des années pour devenir ce que nous sommes aujourd'hui. Il a été prouvé scientifiquement que nous avons été un rocher, un nuage, un arbre, un lapin, un daim, une rose et même un être unicellulaire.

Si vous continuez à pratiquer le regard profond, vous verrez qu'en ce moment même vous êtes toujours une rose, un lapin, un arbre et un rocher. C'est la vérité de l'interêtre. Vous êtes fait d'éléments non-vous. Vous pouvez toucher le nuage en vous. Vous pouvez toucher le soleil en vous. Vous pouvez toucher les arbres et la terre en vous. Vous savez que si ces éléments n'étaient pas en vous, vous ne pourriez pas être là en ce moment. Non seulement vous étiez un arbre dans des vies antérieures, mais vous l'êtes toujours. C'est pourquoi je dis que les arbres sont notre vraie demeure. Reconnaissez votre « *home sweet home* ».

Cultiver sa demeure, cultiver le sacré

En Asie de l'Est, le corps humain est considéré comme un minicosmos. Le cosmos est notre demeure et nous pouvons toucher le fait d'être conscients de notre corps. La méditation signifie être en paix, que l'on soit assis, debout ou en train de marcher. Méditer veut dire regarder les choses profondément, les toucher profondément de manière à réaliser que l'on est déjà chez soi. Notre vraie demeure est accessible ici et maintenant. Jésus-Christ a pratiqué la méditation. Quand Jean a baptisé Jésus, il a fait en sorte que l'Esprit Saint naisse et se manifeste dans Jésus l'être humain. Jésus partit ensuite se retirer dans la montagne pendant quarante jours. Il pratiqua la méditation et renforça l'Esprit en lui afin d'accomplir une transformation totale. Bien qu'on ignore dans quelle position il a pratiqué, je suis certain qu'il a pratiqué la méditation assise et la marche méditative, le regard profond et le toucher profond, tout en nourrissant l'énergie de l'Esprit Saint en lui. Et qui sait s'il ne s'est pas assis sous un arbre de la Bodhi comme le Bouddha ?

Jésus avait la capacité d'apporter de la joie, du bonheur et de la guérison aux autres parce qu'il était rempli de l'énergie de l'Esprit Saint. Nous avons la graine de l'Esprit Saint en nous. Dans le bouddhisme, on parle de bouddhéité, de pleine conscience. La pleine conscience est l'énergie qui nous aide à rester en paix et à être présents pour regarder et toucher les choses profondément. Dès lors, nous commençons à comprendre et à voir que nous sommes chez nous.

L'image de Jésus la plus souvent présentée est celle de la croix. C'est une image qui me fait beaucoup de peine car elle n'exprime pas la joie ou la paix. À mon sens, ce n'est pas rendre justice à Jésus. J'espère que nos amis chrétiens sauront représenter Jésus autrement, par exemple assis dans la position du lotus ou en méditation marchée. On pourrait alors sentir la paix et la joie pénétrer dans notre cœur en contemplant Jésus. C'est une simple suggestion.

Dans la tradition bouddhiste, on ne pratique pas le baptême mais la prise de refuge. Un maître et la Sangha – ou communauté spirituelle – vous entourent, vous joignez les paumes de vos mains et dites : « Je prends refuge dans le Bouddha. Je prends refuge dans le Dharma. Je prends refuge dans la Sangha. » C'est aussi pratiquer le retour chez soi. Votre demeure est le Bouddha, le Dharma et la Sangha et ces trois joyaux sont accessibles à chaque instant. Vous n'avez pas besoin d'aller en Inde pour pratiquer les trois refuges. Vous pouvez très bien les pratiquer ici même. C'est votre pratique qui déterminera la profondeur de votre sentiment d'être en paix intérieurement.

Le Bouddha avait près de quatre-vingts ans et il était sur le point de mourir quand il dit à ses disciples de prendre refuge dans l'île du soi *(attadipa)*. Car c'est en pratiquant le retour en soi-même et en regardant les choses profondément qu'ils pouvaient toucher le Bouddha, le Dharma et la Sangha en eux-mêmes. C'est toujours valable pour nous tous aujourd'hui. Chaque fois que vous vous sentez perdu, aliéné, coupé de la vie ou du monde, chaque fois que vous éprouvez du désespoir, de la colère ou de l'instabilité, vous devez savoir comment retourner « chez vous ». Vous utilisez pour ce faire le véhicule de la respiration consciente, où vous rencontrez le Bouddha, le Dharma et la Sangha. La respiration consciente vous ramène chez vous – elle génère en vous l'énergie de la pleine conscience.

La pleine conscience est la substance d'un Bouddha.

La Sangha, la communauté, est une demeure merveilleuse. Chaque fois que vous retournez dans la Sangha, vous constatez que vous respirez plus facilement, que vous marchez avec plus de pleine conscience et appréciez plus pleinement le ciel bleu, les nuages blancs et le cyprès dans la cour. Pourquoi ? Parce que les membres de la Sangha pratiquent ce retour chez soi toute la journée, que ce soit en marchant, en respirant, en préparant le repas ou en accomplissant chacune de leurs activités quotidiennes en pleine conscience.

Vous êtes allés au Village des Pruniers et vous avez reçu des instructions sur la manière de respirer, de marcher, de sourire et de prendre refuge. Vous avez ramené ces pratiques chez vous et vous les pratiquez. Mais chaque fois que vous revenez au Village des Pruniers, vous voyez que vous pratiquez beaucoup mieux qu'en étant seul chez vous. Il y a des choses qu'on ne fait pas aussi facilement quand on est seul. Mais une fois entouré des membres de la Sangha, cela devient plus facile. Vous n'avez pas besoin de vous forcer et vous y trouvez beaucoup de plaisir. Si telle est votre expérience, tâchez de bâtir une Sangha là où vous vivez. Une Sangha est un refuge. Prendre refuge dans la Sangha n'est pas une question de foi ou de croyance, mais de pratique. Parlez à votre enfant, à vos amis, à votre compagnon ou à votre compagne de la nécessité d'avoir une Sangha. Avec une Sangha, vous êtes en sécurité. Elle vous nourrit et vous protège. Vous pouvez agrandir votre maison à tout moment afin d'y inclure les nuages, les arbres et le chemin pour la marche méditative. Vous savez désormais que tout fait partie de notre demeure, de notre Sangha.

Si vous pensez qu'une personne qui ne croit pas en notre pratique ne peut pas faire partie de votre Sangha, sachez que si elle est entourée de trois, quatre ou cinq personnes qui pratiquent la respiration consciente, la marche, l'assise en pleine conscience et le sourire, cette personne s'apercevra un jour qu'elle est plus qu'elle-même. Même si vous ne lui parlez pas de votre pratique, elle verra bien qu'il y a quelque chose en vous qui vous donne cette fraîcheur, ce calme et ce bonheur. Vous avez le Bouddha, le Dharma et la Sangha en vous. Vous pourrez alors l'inviter à venir dans votre Sangha. Il est très important de prendre refuge dans la Sangha. Je ne passe pas un jour sans pratiquer plusieurs fois la prise de refuge.

Chéri(e), tu es mon chez-moi

Je pratique le retour chez moi en marchant, en étant assis et en faisant chaque chose en pleine conscience. Je pratique le retour chez moi pour ne pas me perdre. Il y a quelques années, Tinh Thuy, une résidente permanente du Village des Pruniers, a écrit une chanson intitulée *Je suis toujours avec moi*. Cela commence ainsi : « Je vis en moi-même depuis très longtemps. Je ne me suis jamais perdu(e). J'ai toujours été avec moi. Je ne me suis jamais perdu(e). »

C'est une pratique très importante. Vivez votre vie de façon à ne pas vous perdre. Si vous vous laissez emporter par les soucis, les craintes, les désirs et la colère, vous vous écartez de vous-même et vous vous perdez. La pratique consiste à toujours revenir en soi-même. Vous avez un véhicule merveilleux. Et vous n'avez pas besoin d'acheter de l'essence. La respiration consciente et la marche en pleine conscience sont de merveilleux moyens de revenir en vous-même.

Quand je me rencontre, je vois beaucoup d'espace. Quand vous êtes là avec vous-même, prenant bien soin de vous, il y a suffisamment d'espace en vous pour que les nuages blancs puissent s'y déplacer.

La chanson de Tinh Thuy continue : « J'ai toujours mon futur. J'ai toujours mon passé. Voilà pourquoi je me sens légère et heureuse aujourd'hui. » Où est votre futur ? Où est votre passé ? Vous pouvez découvrir votre futur et votre passé juste en revenant en vous-même. Bien sûr, vos ancêtres sont là avec vous. Quand vous revenez en vous-même, vous touchez vos ancêtres. Votre grand-père et votre grand-mère, votre père et votre mère sont vivants en vous. Vos ancêtres ne sont jamais morts. Ils sont toujours en vous. Il suffit de pratiquer la respiration consciente pour les toucher et leur sourire.

Dans des vies antérieures, vous avez été un arbre, un rocher, un nuage, un lapin, un daim. Toutes ces choses sont encore en vous et vous pouvez les toucher. Elles appartiennent à votre demeure. Rentrez chez vous, touchez ces éléments et vous verrez que votre corps de Dharma est immense et votre demeure très vaste. Vos frères et vos sœurs, vos enfants et leurs enfants, vos disciples et leurs disciples sont là aussi. Ils ne sont pas seulement autour de vous, mais aussi en vous.

Imaginez un citronnier au printemps, tout en fleur. Bien qu'on ne puisse pas encore voir les citrons, vous savez qu'ils sont déjà là. Si les fleurs de citronniers sont là, les citrons sont là. Par conséquent, même si vous êtes encore jeune, vous pouvez toucher vos enfants et leurs enfants en vous. Vos enfants et leurs petits-enfants constituent aussi votre demeure.

Vous devez être capable de regarder le cyprès, d'inspirer, d'expirer, de sourire et de lui dire : « Chéri, tu es mon chez-moi. » Touchez profondément la terre sur laquelle vous marchez et dites-lui : « Chérie, tu es mon chez-moi. » La Terre peut être une mère ou une sœur. Pourquoi faudrait-il courir après sa demeure ? Votre demeure est ici, votre demeure est maintenant. Reconnaissez cela. Chaque chose, chaque être fait partie de notre vraie demeure. Vous avez beaucoup d'espace. Vous n'êtes pas isolé. Vous êtes nous, et vous pouvez nous prendre dans vos bras. Nous signifie un cyprès, un daim, un lapin, etc.

Chacun d'entre nous a besoin d'un chez-soi. Le monde a besoin d'une demeure. Il y a tant de jeunes qui n'ont plus de chez-eux. Ils ont peut-être un endroit où habiter, mais ils sont sans maison dans leur cœur. C'est pourquoi la pratique la plus importante de notre époque est de faire en sorte que chacun ait une demeure. Soyez un refuge pour eux.

Chacun doit servir de refuge pour les autres. Quand nous regardons quelque chose ou quelqu'un, que ce soit une personne ou un arbre, regardons-les de manière à les toucher comme des parties de notre demeure. « Voici la Terre pure, la Terre pure est ici. » C'est le début d'une chanson que nous aimons bien chanter au Village des Pruniers. La Terre pure est notre vraie demeure.

Chez soi, dans le corps de Dharma

C'est une grande chance d'avoir Jésus-Christ comme demeure. Il est une réalité. L'une des conditions qui vous aident à le reconnaître et à l'identifier comme votre demeure est le fait qu'il soit humain. Que se passerait-il si nous avions seulement une idée, une notion de Dieu ? Dieu est concret sous la forme d'un être humain : Dieu le fils, Jésus-Christ.

C'est aussi une chance que, dans le bouddhisme, le Dharmakaya, le corps du Dharma, soit incarné d'une manière très concrète par la présence d'un être humain, le Bouddha Shakyamuni. Il est beaucoup plus facile pour vous de toucher l'absolu, l'ultime, si vous pouvez toucher un être humain. C'est la raison pour laquelle nous avons tendance à penser à Dieu comme à un être humain qui aurait un corps, Dieu comme une personne.

Le bouddhisme visualise parfois aussi le Dharmakaya, le corps de l'absolu, sous la forme d'un être humain. Il y a Shakyamuni, un être humain, qui incarne le Dharma. Le bouddhisme enseigne que vous avez de nombreux corps, y compris un corps physique et un corps de Dharma. Vous portez en vous le corps du Dharma et vous pouvez le toucher. Vous avez aussi le corps du Bouddha que vous pouvez toucher à tout moment.

L'expression « corps de Dharma » était déjà utilisée du temps du Bouddha. Alors que le moine Vaikhali était malade, le Bouddha lui rendit visite dans la maison d'un potier. Vaikhali aimait et admirait beaucoup le Bouddha. Au début de sa pratique en tant que moine, il avait passé des heures et des heures assis à côté du Bouddha, à contempler simplement le corps physique du Bouddha. Puis Vaikhali avait essayé de dépasser le corps physique du Bouddha pour toucher le corps de Dharma du Bouddha. Alors qu'il était mourant, le Bouddha lui demanda : « Vaikhali, comment te sens-tu dans ton corps ? » Vaikhali répondit : « Seigneur, je souffre tant. La douleur physique ne cesse d'augmenter. » Le Bouddha lui demanda : « Vaikhali, es-tu en paix en toi-même ? As-tu des regrets ? » Vaikhali dit : « Non, Seigneur. Je n'ai aucun regret concernant ma pratique. Je suis en paix. Mais il y a tout de même un regret en moi, c'est de savoir qu'en raison de ma maladie je ne pourrai plus aller vous rendre visite sur le mont des Vautours. » Le Bouddha dit : « Allez, Vaikhali, ce corps physique n'est pas le plus important. Si tu as touché le Dharma, si tu vis chaque minute avec le Dharma, alors mon corps de Dharma sera toujours avec toi. »

Le corps de Dharma est le corps de l'enseignement. Vous pouvez découvrir votre corps de Dharma par vous-même. Un instructeur, un frère ou une sœur peuvent aussi vous aider à le découvrir. Votre pratique est un processus de découverte de votre corps de Dharma. Plus vous toucherez votre corps de Dharma, plus vous serez heureux et plus vous serez en paix.

Le corps de Dharma ne vous est pas donné par quelqu'un d'autre. Il est profondément en vous et il s'agit de le découvrir. Quand vous pratiquez la méditation marchée, vous pouvez vous libérer de votre colère et de votre chagrin. Vous pouvez regarder plus profondément la réalité des choses et vous défaire de vos illusions et de vos désirs. Cela signifie que vous avez le corps de Dharma en vous. Vous souffrirez moins si vous savez comment utiliser votre corps de Dharma. Vous serez plus libre, plus en paix et plus heureux. Le Bouddha et la Sangha peuvent vous aider à toucher profondément le corps de Dharma en vous. Et comme le corps de Dharma est profondément en vous, le corps de Bouddha est là aussi. Vous êtes un Bouddha en devenir. Vous portez en vous-même votre corps physique, votre corps de Dharma et votre corps de Bouddha.

Au-delà du corps de Dieu

Les scientifiques aiment parler dans le langage des mathématiques. Il y a de très bons mathématiciens parmi nous. Ceux qui observent la réalité et qui en parlent dans le langage des mathématiques disent qu'il n'y a pas de meilleur langage pour en parler. Lorsqu'un mathématicien admire la réalité en termes de mathématiques, il a tendance à croire que Dieu est le meilleur mathématicien. Sinon, comment les choses pourraient-elles être ainsi ? Si Dieu n'est pas mathématicien, comment pourrait-il créer les choses parfaitement ainsi ?

L'artiste, le peintre qui utilise des couleurs et des pinceaux pour créer de belles images sur une toile a tendance à croire que Dieu est le meilleur des peintres. Regardez autour de vous : rien n'est plus beau que ce que vous voyez – le soleil levant, le magnifique coucher de soleil, l'océan, les étoiles, les feuilles, les arbres, les nuages – tout est si beau. Si Dieu n'était pas le meilleur des peintres, comment aurait-il pu créer le monde tel qu'il est ? Les peintres ont le droit de penser que Dieu est le meilleur des peintres.

Regardons le poisson nageant dans l'eau avec bonheur. Il a tendance à penser à Dieu comme au meilleur nageur qui soit. Il est très normal pour des êtres humains de concevoir Dieu comme un être humain. Il est dit que Dieu a créé l'homme à son image, mais peut-être que l'humanité a créé Dieu à l'image de l'humanité. Ces deux affirmations sont vraies. Passer notre temps à nous quereller pour savoir si Dieu est une personne ou non n'est qu'une perte de temps. Vous êtes une personne, mais vous êtes plus qu'une personne. Cela s'applique au cosmos, à l'esprit et à Dieu.

Le corps de la foi

Dans le bouddhisme, les gens considèrent la foi comme une source d'énergie. Avec la foi, avec l'énergie de la foi, vous êtes plus vivant. Mais foi en quoi ? C'est la question. Lorsque vous voyez ou entendez quelque chose, vous pouvez être convaincu que ce quelque chose est vrai, bon et beau. Soudain, vous avez foi en quelque chose. Mais sachez que l'objet de votre foi ne sera peut-être pas toujours là. Il se peut que vous perdiez votre foi dans quelques heures ou quelques jours parce que ce que vous avez vu ou entendu n'était pas une bonne perception. Quand vous mettez votre foi en pratique, vous constatez qu'elle ne marche pas. Alors vous perdez votre foi. Ou alors vous mettez votre foi en pratique, vous voyez qu'elle marche, mais ce n'est plus le cas par la suite, si bien que vous perdez à nouveau votre foi. Pourquoi ? La réponse est que la foi est quelque chose de vivant. La foi doit grandir. Si votre foi n'est qu'une notion, elle n'est pas vivante. Si vous avez une idée et que vous vous y accrochez comme à l'objet de votre foi, vous risquez à nouveau de perdre votre foi.

La foi est liée au fait de comprendre et de savoir. Supposons que vous observiez une personne en train de faire du tofu. Vous pensez n'avoir oublié aucun détail et vous avez la foi que vous pourrez fabriquer votre propre tofu. Après avoir rassemblé tous les ingrédients, vous essayez de faire du tofu, mais cela ne marche pas. Vous n'y arrivez pas. Alors vous retournez voir la personne pour qu'elle vous montre à nouveau. Puis vous faites le tofu en sa présence pour être sûr de ne pas vous tromper. Et après avoir réussi, vous avez la foi que vous savez faire du tofu. Vous vous dites que personne ne peut vous enlever votre foi dans votre capacité à faire du tofu. Peut-être pensez-vous que votre façon de le faire est la seule voire la meilleure qui soit. Mais il se peut que dans un an ou deux vous rencontriez quelqu'un qui fait le tofu autrement et qu'il soit meilleur. Vous apprenez encore et vous améliorez votre manière de faire le tofu. Votre foi dans votre capacité à faire du tofu est quelque chose de vivant qui dépend de votre profondeur de vue et de compréhension.

Dans les milieux bouddhistes, les gens parlent d'abandonner ce qu'ils savent. Si vous savez quelque chose, vous vous y accrochez. Vous n'êtes pas prêt à l'abandonner et c'est un obstacle sur le chemin de la pratique. Dans le bouddhisme, la connaissance peut être considérée comme un obstacle. Nombreuses sont les personnes qui ont accumulé des connaissances et qui s'aperçoivent un jour que les connaissances qu'elles possèdent sont devenues un obstacle à leur compréhension. Le mot sanscrit pour « connaissance en tant qu'obstacle » est *jneyavarana*.

Savoir et comprendre sont deux choses bien distinctes. Quand vous grimpez sur une échelle, tant que vous n'abandonnez pas le premier barreau, vous ne pouvez pas atteindre le barreau supérieur. Il en est de même de la connaissance. Si vous n'êtes pas prêt à abandonner vos connaissances, vous ne pourrez pas avoir une connaissance plus approfondie. L'histoire de la science le prouve. Vous faites une découverte qui vous aide à mieux comprendre les choses, tout en étant conscient qu'il vous faudra abandonner un jour cette connaissance afin de découvrir quelque chose de plus profond et de plus élevé. L'enseignement bouddhiste sur l'abandon des connaissances est très important.

Le processus d'apprentissage et de compréhension doit être lié à votre foi. À mesure que vous abandonnez une notion ou une compréhension, votre foi grandit. Vous devez abandonner le genre de bouddhisme que vous avez appris quand vous aviez vingt ans. La notion que vous aviez du Bouddha à l'âge de quinze ans est assez différente de la compréhension que vous en avez aujourd'hui. Elle est plus profonde et plus proche de la réalité. Vous savez que vous devez vous défaire de vos notions pour avoir une compréhension plus profonde du Bouddha.

Votre foi change aussi en fonction de votre compréhension. La foi est quelque chose de vivant, et sa nourriture est la compréhension. C'est quelque chose de très important dont nous devons nous souvenir. Le fait de s'accrocher à une notion ou de considérer cette notion comme la vérité absolue ne fera qu'entraîner notre perte. Si vous pensez que vos connaissances constituent le sommet le plus élevé de la connaissance humaine, vous êtes perdu. Ce genre de croyance n'est pas considéré comme relevant de la croyance juste.

Vous devez donc être prêt à abandonner votre notion de Dieu, votre compréhension de Jésus, votre notion du Bouddha et votre compréhension du Bouddha. Vous savez que pour grimper à l'échelle il faut abandonner la première marche pour atteindre la marche supérieure. Même si vous l'abandonnez, vous savez que la marche inférieure vous a servi. Elle vous a été utile dans votre apprentissage et votre pratique.

Et comme vous devez grandir dans votre vie spirituelle, vous ne pouvez pas vous en tenir à une idée. Supposons que vous soyez en danger, ou que vous ayez des problèmes et que vous ne sachiez que faire. Vous vous agenouillez et vous priez Dieu ou Avalokiteshvara, le bodhisattva de l'écoute compassionnée. Soudain les choses vont mieux et vous croyez au pouvoir de la prière. Il se peut que la prochaine fois, dans le même genre de situation, vous vous agenouilliez pour prier mais que cela ne marche pas. Vous perdrez peut-être votre foi en Dieu ou en Avalokiteshvara. Dans ce cas, je vous invite à examiner votre compréhension et votre façon de prier. Perdre sa foi est quelque chose de très déplaisant qui peut causer beaucoup de souffrance. Le Bouddha a dit à maintes reprises que nous devons faire preuve de prudence au sujet de nos connaissances.

La foi est quelque chose de vivant

Dans le bouddhisme, le mot *siksa*, apprendre, ne signifie pas apprendre avec l'intellect, mais aussi avec son corps. Il faut s'entraîner pour pratiquer, par exemple, la respiration consciente. Il faut vraiment pratiquer et s'entraîner pour pouvoir apprécier chaque respiration. Quand vous savez respirer, vous n'avez plus besoin de vous entraîner. Vous vivez normalement et vous respirez à la perfection. On appelle cette étape « l'étape où l'on n'apprend plus ». Cela ne veut pas dire que la personne n'a pas d'éducation ou qu'elle n'en a plus besoin. Éducation signifie ici pratiquer, non pas avec l'intellect mais avec toute sa personne.

C'est un plaisir que de s'entraîner à chanter, à marcher et à respirer. Dans les écoles de médecine, il y a aussi un entraînement, un internat. On peut s'entraîner pour devenir médecin ou architecte. On apprend avec l'esprit, avec le corps, avec tout son être. La transformation fait partie de l'entraînement. L'homme est un animal, alors si les animaux ont besoin d'être entraînés, l'homme a aussi besoin de s'entraîner. Les animaux peuvent être éduqués contre leur volonté. Nous voulons nous entraîner à être heureux.

Nous pratiquons tous la marche méditative. Vous recevez au préalable les instructions d'un maître ou d'un frère ou d'une sœur, et vous utilisez votre corps et votre vie pour l'expérimenter. Ceux qui pratiquent la marche méditative depuis un certain temps ont observé des changements dans leur pratique. Leur façon de pratiquer la marche méditative leur apporte plus de paix, de conscience et de joie qu'au début de leur pratique. Notre compréhension de la pratique augmente. Supposons que vous avez foi dans la marche méditative. Cette foi est faite de votre expérience dans la pratique. Vous faites de mieux en mieux chaque fois parce que vous avez pratiqué et appris. Vous faites mieux qu'il y a un an tout simplement parce que avez pratiqué tout au cours de l'année dernière. Vous avez trouvé de meilleures façons de pratiquer. Maintenant, vous pouvez abandonner votre colère et vos soucis et restaurer votre paix et votre bien-être en pratiquant la marche méditative.

Notre foi dans la pratique grandit aussi. Ce que je dis est simple : la foi est quelque chose de vivant. Elle doit grandir. La nourriture qui l'aide à grandir, ce sont les découvertes continuelles, la compréhension plus profonde de la réalité. Dans le bouddhisme, la foi est nourrie par la compréhension. La pratique du regard profond vous aide à mieux comprendre. À mesure que vous comprenez mieux, votre foi grandit.

La compréhension et la foi étant vivantes, il y a quelque chose dans notre compréhension et dans notre foi qui meurt à chaque instant et qui naît à chaque instant. Dans le bouddhisme zen, ceci est exprimé d'une manière radicale. Maître Lin-tsi a dit : « Si vous rencontrez le Bouddha, tuez-le. » Je pense que c'est la façon la plus puissante de l'exprimer. Si vous avez une notion du Bouddha, vous en êtes prisonnier. Si vous n'abandonnez pas votre notion du Bouddha, vous ne pourrez pas avancer sur le chemin spirituel. Tuez le Bouddha. Tuez votre notion du Bouddha, sans quoi vous mourrez sur votre chemin spirituel.

La compréhension est un processus. C'est quelque chose de vivant. Ne prétendez jamais que vous avez parfaitement compris la réalité. En continuant à vivre profondément chaque instant de votre vie quotidienne, votre compréhension grandira, de même que votre foi.

La concentration est la nourriture de la compréhension. Vous devez être concentré pour que la compréhension soit possible. Pour résoudre un problème mathématique, vous avez besoin de concentration. Vous ne pouvez pas allumer la radio et laisser votre esprit se disperser. Quand vous êtes debout face à un arbre, vous devez vous concentrer sur l'arbre. Cela vous donne une certaine compréhension de l'arbre. Dans notre vie quotidienne, nous devons être concentrés. Quand vous mangez, vous devez manger avec concentration. Quand vous buvez, vous buvez en étant concentré. *Samadhi* est la concentration qui calme notre esprit et nous permet de regarder profondément l'objet de notre concentration. La pratique du *samadhi* est très importante. Vous devez rester en concentration toute la journée. En marchant, vous vous établissez fermement dans la marche. En étant assis, vous vous établissez fermement dans l'assise. En respirant, vous êtes pleinement conscient de votre respiration.

La concentration a aussi sa nourriture : la pleine conscience. La pleine conscience est ici et maintenant. Manger en pleine conscience, marcher en pleine conscience, s'asseoir en pleine conscience et s'étreindre en pleine conscience sont autant de manières de développer la concentration. Et du fait de votre concentration, vous êtes capable de comprendre. Si vous êtes capable de comprendre, votre foi sera renforcée.

Si vous avez la foi, vous avez beaucoup d'énergie en vous. Quand vous croyez dans le Bouddha, le Dharma et la Sangha, quand vous croyez à quelque chose de vraiment bon, vrai et beau, vous avez beaucoup d'énergie en vous-même. Si vous avez de l'énergie en vous, c'est parce que vous avez foi dans la pratique, le Dharma.

Aujourd'hui nous parlons de la foi non pas comme d'une notion, mais comme de quelque chose de vivant qui doit être nourri par la vraie compréhension. Dans les milieux bouddhistes, on dit que la foi doit être la foi juste. La foi n'est pas faite de notions et de concepts. La foi juste est nourrie par la vraie compréhension, non pas par l'intellect mais par l'expérience. C'est la foi véritable. Je pense que dans le dialogue entre bouddhistes et chrétiens la foi est un sujet d'étude très important.

La Sangha est une porte

Pour moi, la Sangha est la porte de notre véritable demeure. C'est pourquoi la construction de Sanghas doit être notre pratique quotidienne. Quand nous pratiquons la pleine conscience nous voyons que tout ce qui nous entoure peut être un élément de notre Sangha. Tout ce qui est autour de nous peut faire partie de notre véritable demeure.

Nous savons que dans chaque société, dans chaque nation, il est très important de pouvoir offrir un toit à chacun. Il y a tant de sans-abri. Spirituellement parlant, nous n'avons pas d'endroit où revenir. C'est pourquoi la pratique de la prise de refuge est si importante. Nous devons apprendre à « rentrer chez nous » chaque jour, car notre demeure est accessible ici et maintenant. Notre foi vivante est notre demeure.

TROISIÈME PARTIE

LAISSONS NAÎTRE L'ENFANT EN NOUS [1]

On dit souvent que Noël est la fête des enfants. J'aurais tendance à être d'accord, car qui parmi nous n'est pas un enfant ou n'a pas été un enfant ? Cet enfant qui est en nous est toujours vivant. Avons-nous assez de temps à lui accorder ? Je pense qu'il est possible d'aider l'enfant qui est en nous à renaître encore et encore, car l'esprit de l'enfant, c'est le Saint-Esprit, c'est l'esprit du Bouddha. Il n'y a pas de différence. Un enfant est toujours capable de vivre dans le moment présent. Il peut aussi être sans peur et sans soucis. Il est donc très important de pratiquer de telle sorte que l'enfant en nous puisse renaître.

Laissons renaître l'enfant en nous.

Ce soir, nous célébrons la naissance d'une personne très chère à l'humanité, une personne qui a apporté la lumière au monde : Jésus-Christ. Nous

1. Enseignement donné le 24 décembre 1996 au nouveau hameau du Village des Pruniers.

espérons que des enfants comme lui pourront naître à chaque instant de notre vie quotidienne.

Dans la tradition bouddhiste, nous pratiquons le nouveau départ. C'est une pratique très importante. Cela signifie renaître et être capable de recommencer. C'est une très bonne nouvelle. L'enseignement du Bouddha nous offre les moyens de renaître à chaque instant de notre vie quotidienne, d'apprendre à aimer à nouveau. Ceux qui, parmi nous, sont découragés, qui n'ont plus la force d'aimer, ont peut-être beaucoup souffert d'avoir essayé d'aimer sans succès. Leurs blessures sont si profondes qu'ils ont peur d'aimer à nouveau. Nous sommes conscients de leur présence parmi nous et autour de nous. Nous devons leur apporter le message que l'amour est possible, car notre monde a désespérément besoin d'amour.

Dans la tradition bouddhiste, on parle de l'esprit d'amour : la *bodhicitta.* Quand vous êtes motivé par le désir de transcender la souffrance, de sortir d'une situation difficile et d'aider les autres à faire de même, vous recevez une source d'énergie très puissante qui vous aide à faire ce qu'il faut faire pour vous transformer vous-même et aider les autres. C'est ce qu'on appelle la *bodhicitta*, l'esprit d'amour. Cela provient d'un sentiment puissant en vous qui vous dit que vous ne voulez plus souffrir. Vous ne voulez plus que les gens vivent ce genre de situation. C'est l'éveil, le genre d'éveil qui fait naître une formidable source d'énergie en vous appelée « esprit d'amour » ou « esprit d'éveil ». C'est un début très important. Si vous parvenez à garder cette source d'énergie vivante en vous, vous pourrez affronter et surmonter toutes sortes d'obstacles. C'est pourquoi la *bodhicitta* est si importante. Si nous avons l'énergie d'amour, si nous avons la *bodhicitta* en nous, nous serons pleins de vie. Nous serons forts et nous n'aurons plus peur de rien, car l'amour nous aura aidés à surmonter les difficultés et le désespoir.

Le véritable amour est fait de compréhension – comprendre l'autre personne, l'objet de votre amour, comprendre ses souffrances, ses difficultés et ses véritables aspirations. Si la compréhension est présente, vous pourrez offrir de la bonté, de la compassion et de la joie. Il y aura aussi de l'espace, car le véritable amour ne connaît pas la possessivité. Vous aimez, mais vous restez libre et l'autre aussi. Le genre d'amour où il n'y a pas de joie n'est pas le véritable amour. Si les deux partenaires pleurent tous les jours, ce n'est pas le véritable amour. Dans l'amour, il doit y avoir de la joie, de la liberté et de la compréhension.

On dit que le Bouddha du futur, Maitreya, est le Bouddha de l'amour. Nous pratiquons pour que son apparition devienne réalité. Nous préparons le terrain pour ce futur Bouddha. Le Bouddha du futur sera peut-être une Sangha, une communauté de pratique, une communauté de gens qui partagent les mêmes valeurs, et pas seulement une personne, parce que l'amour doit être pratiqué collectivement. Nous avons besoin les uns des autres pour que la pratique collective de l'amour devienne une réalité.

L'amour est une sorte d'énergie. Dans la tradition bouddhiste, nous pouvons identifier la nature de cette énergie. Nous pouvons la reconnaître quand elle est présente. De même, quand ce n'est pas le véritable amour, nous le savons. C'est l'une de nos pratiques.

L'amour peut aussi être décrit comme la foi, car la foi est une source d'énergie qui nous donne de la force. L'amour et la foi doivent aussi être cultivés. Ce ne sont pas seulement des idées ou l'adhésion à des concepts et à des dogmes. L'amour est quelque chose de vivant, de même que la foi. En aimant, vous apprenez beaucoup. Vous aimez mieux, vous faites moins d'erreurs. Vous êtes plus souvent heureux et vous rendez les autres heureux, ce qui renforce votre foi en votre capacité d'aimer. La foi est donc faite d'éléments très concrets – votre vraie expérience spirituelle, votre expérience de la vie quotidienne. Et cette foi n'est pas prisonnière d'une idée, d'un dogme ou d'une doctrine. La foi est le résultat de votre vie. Elle grandit. À mesure que la foi grandit, vous continuez à recevoir de l'énergie car la foi est aussi une énergie d'amour. En examinant profondément dans la nature de notre amour, nous y verrons aussi notre foi. Et avec cette foi en nous-mêmes, nous n'avons plus peur de rien.

Ceux qui ne croient en rien sont ceux qui souffrent le plus. Ils ne voient rien de vrai, de beau ou de bon. Ils sont dans la confusion la plus totale. C'est certainement la souffrance la plus profonde.

Si vous ne croyez en rien, vous devenez un fantôme affamé, vous ne savez où aller ni que faire. Comme vous ne trouvez aucun sens à la vie, vous risquez de vous détruire, physiquement et mentalement. Et il existe aujourd'hui de nombreux moyens de se détruire.

La naissance de la vraie foi

Je voudrais vous parler de l'amour et de la foi. Si l'on peut distinguer le véritable amour de l'amour qui ne fait qu'engendrer souffrance et désespoir, on peut aussi distinguer la foi qui nous soutient, qui nous donne de la force et de la joie, de celle qui peut disparaître du jour au lendemain, nous laissant complètement seuls et perdus.

Avec la foi, vous avez le sentiment d'avoir la vérité, la vision profonde et le chemin à suivre. Et c'est ce qui vous rend heureux. Mais est-ce le vrai chemin ou juste de l'attachement à un système de croyances ? Ce sont deux choses différentes. La foi véritable vient du chemin que vous prenez, qui vous apporte de la vie, de l'amour et du bonheur chaque jour. Vous continuez à apprendre pour que votre bonheur et votre paix puissent grandir, ainsi que le bonheur et la paix de ceux qui vous entourent. Il n'est pas nécessaire de suivre un chemin religieux pour avoir la foi. Mais si vous adhérez juste à un ensemble d'idées et de dogmes qu'on appelle la foi, ce n'est pas la vraie foi, mais cela vous donne de l'énergie. Il faut faire la distinction. Cette énergie est encore aveugle et peut causer de la souffrance en vous et autour de vous. Une énergie qui vous permet de rester lucide, aimant et tolérant vous apporte tout autre chose qu'une énergie aveugle. Vous pouvez faire beaucoup d'erreurs avec ce genre d'énergie. Nous devons distinguer la foi véritable de la foi aveugle. C'est un problème dans toutes les traditions.

Dans l'enseignement du Bouddha, la foi est faite

d'une substance appelée « vision profonde » ou « expérience directe ». Un maître veut transmettre ce qu'il sait à ses disciples. Mais il ne peut transmettre que des idées et non son expérience. Le disciple doit se faire sa propre expérience. Le problème n'est pas de communiquer l'expérience en termes d'idées ou de notions, mais d'aider le disciple à faire le même genre d'expérience. Par exemple, vous connaissez le goût de la mangue et vous pourriez être tenté de l'expliquer, mais vous savez qu'il vaut mieux offrir au disciple un morceau de mangue pour qu'il en fasse l'expérience directe. Si vous écrivez un livre sur le bouddhisme zen, vous pouvez faire des recherches poussées et lire des centaines de livres sur le sujet. Mais, malgré toutes ces connaissances, ce livre n'apportera rien car il ne sera pas le fruit de votre vie, de votre expérience directe.

L'éveil, la liberté et la transformation sont le fruit de l'expérience directe. Il s'agit dès lors d'une connaissance véritable et non d'un concept intellectuel. La compréhension profonde de ce qui est là – l'objet de votre perception – est la connaissance véritable. La vision profonde est aussi l'expérience directe. La vision profonde n'est pas un concept à utiliser dans une conversation. Le fait de parler avec quelqu'un peut déclencher une certaine compréhension en vous et c'est aussi une expérience directe. La vision profonde vient vraiment de vous et non des paroles d'un autre.

Votre confusion et votre souffrance jouent un rôle très important, car l'éveil, le bonheur et la vision profonde ne sont possibles que sur la base de la souffrance et de la confusion. Le Bouddha a dit que c'est grâce à la boue que le lotus peut s'épanouir. Si vous plantez des lotus sur du marbre, ils ne pourront pas survivre.

Si vous vous dites bouddhiste et que votre foi n'est pas faite de cette vision profonde et de cette expérience directe, je vous invite à la réexaminer. Si tel est le cas, votre foi porte sur une notion, une idée ou une image. Quand vous regardez une table, vous avez une notion de cette table, mais la table est peut-être très différente de la notion que vous en avez. Il est très important d'avoir une expérience directe de la table. Même si vous n'avez aucune notion de la table, vous avez la table. La technique consiste à supprimer toutes les notions afin qu'une expérience directe soit possible.

Nous avons beaucoup de notions et d'idées fausses. C'est dangereux d'y croire, car nous risquons un jour de découvrir que ces idées, ces notions et ces perceptions sont erronées. Les gens vivent avec beaucoup de perceptions et d'idées erronées et il est dangereux de fonder toute sa vie sur ces notions.

Voyons par exemple l'idée que nous nous faisons du bonheur. Jeunes ou moins jeunes, nous avons tous une notion du bonheur et de ce qu'il faut faire pour être heureux. Nous croyons qu'en obtenant ceci ou cela, nous serons heureux et que le bonheur sera impossible tant que nous n'aurons pas réalisé ces conditions. Ce genre d'attitude est majoritaire.

Je vous invite à examiner vos notions du bonheur et à les inscrire sur une feuille de papier. Selon l'enseignement du Bouddha, les notions que nous avons du bonheur sont peut-être justement les obstacles qui nous empêchent d'être heureux. Si nous restons accrochés à ces notions, nous risquons d'être malheureux toute notre vie. C'est pourquoi il est indispensable de se débarrasser de nos notions du bonheur, de façon à ouvrir la porte au vrai bonheur qui est déjà là, à l'intérieur et autour de nous.

Si vous êtes attaché à une idée du bonheur, vous risquez de ne jamais connaître le bonheur dans votre vie. Vous pensez que si votre idée ne se réalise pas, le bonheur ne sera jamais possible. C'est pourquoi les notions sont des obstacles. Il y a de multiples façons d'être heureux, mais vous n'en voyez qu'une seule. C'est une perte pour vous. Une jeune femme se dira par exemple : « Si je n'épouse pas cet homme, je préfère mourir car le bonheur ne sera pas possible sans lui. » Pourtant, vous n'avez pas besoin de mourir. Il y a d'autres façons d'être heureux, mais vous êtes trop attaché à votre idée du bonheur.

Une nation aussi peut avoir une idée du bonheur. Par exemple, un groupe de personnes est persuadé que le bonheur de ce pays dépend de la réalisation d'une idée, qu'il s'agisse d'une doctrine économique, théologique, ou encore d'une idéologie. Ces gens en sont tellement convaincus qu'ils vont tout faire pour défendre et promouvoir cette idée et s'opposer à toute autre notion du bonheur. C'est le début d'une approche totalitaire du bonheur. Un gouvernement ou un parti fera usage de sa force pour réaliser cette idée du bonheur. Ce pays mettra peut-être soixante-dix ans ou cent ans à essayer d'appliquer cette idée du bonheur, au prix de nombreuses souffrances et tragédies. L'Union soviétique avait pris l'habitude d'interner en hôpital psychiatrique ceux qui n'avaient pas la même idée du bonheur, de sorte que beaucoup de gens et beaucoup de bonheur ont été sacrifiés.

Tous ces systèmes devront pourtant se réveiller un jour. Quand ils comprendront que cette idée n'est pas parfaite et qu'il y a de nombreux éléments qui ne correspondent pas à la réalité ni aux besoins et aux aspirations des gens, ils abandonneront cette idée du bonheur et le pays aura une nouvelle chance. C'est le cas par exemple quand un pays exige de ses habitants qu'ils soient des héros alors qu'ils n'en ont peut-être pas envie. Si les dirigeants ne tirent pas les leçons des souffrances du passé, ils répéteront exactement les mêmes erreurs avec une autre notion du bonheur. Et qui sait pour combien de temps encore ? Une notion est par conséquent toujours dangereuse.

La pratique du bouddhisme tend à nous libérer des notions, des concepts et des perceptions, y compris des notions concernant notre propre bonheur.

Notre expérience directe de la souffrance et du bonheur est plus importante que nos notions et nos perceptions. Si notre foi est faite de cette expérience directe et de la vision profonde, c'est la foi véritable et elle ne nous fera jamais souffrir. Prenons un exemple : vous avez appris à faire un gâteau, le cake aux fruits confits. Vous avez la foi, vous avez confiance dans votre manière de faire un cake. Mais il faut garder une chose à l'esprit : vous pourrez toujours améliorer votre tour de main et il y aura toujours des gens qui réussiront mieux que vous.

Si vous avez souffert d'une chose et que vous êtes sorti de cette souffrance, vous avez peut-être découvert par vous-même comment vous en libérer, à moins que la solution ne vous ait été suggérée par un maître, un frère ou une sœur. Mais de par cette découverte vous avez pu vous libérer de cette souffrance. Souffrir et savoir comment échapper à la souffrance est une réalisation. Vous avez confiance et vous savez que la prochaine fois vous saurez à nouveau trouver une issue. C'est la vision profonde, l'expérience directe, les éléments de la foi véritable.

Vous avez appris la marche méditative. Vous savez comment marcher et vous établir dans l'instant présent, en associant votre respiration consciente à chacun de vos pas. Vous avez pratiqué plusieurs fois et vous savez que la marche méditative peut vous aider à vous défaire des énergies négatives qui vous font souffrir quand vous êtes en colère. Chaque fois que vous vous sentez en colère ou désespéré, vous pratiquez la marche méditative pendant trente ou quarante minutes et vous vous sentez mieux. Vous savez que vous ne pouvez pas vivre sans la marche méditative. Quoi qu'il arrive, vous ne l'abandonnerez pas. Vous savez aussi par votre expérience que la marche méditative peut vous nourrir, vous transformer et vous apporter beaucoup de joie. Avoir foi en la marche méditative, ce n'est pas avoir foi en une idée ou une notion ; cette foi est faite de l'expérience directe. La seule chose à savoir, c'est que vous pourrez toujours améliorer votre pratique de la marche méditative et que le fruit en sera toujours plus grand.

C'est la même chose avec l'écoute de la cloche ou la méditation assise. Ne dites jamais : « Je connais la meilleure façon de m'asseoir, de marcher ou de faire face à ma colère. » Nous savons comment gérer notre colère, nous savons comment nous libérer de notre souffrance avec la marche méditative et nous savons apprécier le fait d'être en vie en étant assis et en souriant. Mais nous pourrons toujours améliorer notre façon de faire. Notre foi n'est pas statique, elle est vivante, comme un arbre ou un animal.

La ville de Paris, par exemple, est vivante, mais l'idée que vous en avez n'est pas vivante. Vous pensez connaître Paris mais Paris change chaque jour et chaque nuit. Même si vous êtes déjà allé vingt fois à Paris, même si vous y avez habité deux ans de suite, votre idée de Paris ne sera jamais Paris. Paris est vivant et votre notion de Paris est comme un cliché photographique, un instantané.

La foi est vivante, et comme toute chose vivante, elle peut changer. Cela ne veut pas dire qu'aujourd'hui je crois en une chose et que demain je cesserai d'y croire pour croire à tout autre chose. Un citronnier d'un an est un citronnier, mais un citronnier de trois ans est aussi un citronnier. La foi véritable est toujours la foi véritable, mais comme elle est vivante elle doit grandir. En adoptant cette attitude vis-à-vis de notre foi et de notre amour, nous ne ferons souffrir personne.

Le fait de croire en une vérité absolue nous ferme à la compréhension et à la sagesse des autres, parce que l'objet de notre foi est une idée et non quelque chose de vivant. Mais si l'objet de votre foi est votre expérience directe et votre vision profonde, vous serez toujours ouvert. Vous pourrez grandir chaque jour dans votre pratique, en partager le fruit autour de vous et faire grandir votre foi, votre amour et votre bonheur.

Il y a eu beaucoup de persécutions au nom de la foi ou de l'amour. Si je suis persuadé que ma notion de Dieu, du bonheur et du nirvâna est parfaite, je voudrai vous l'imposer : « Si vous ne croyez pas comme moi, vous ne serez pas heureux. Je vais tout faire pour vous imposer mes notions, jusqu'à vous détruire. Je vais vous rendre malheureux pour le reste de vos jours. » Nous nous détruisons les uns les autres au nom de la foi, au nom de l'amour, simplement parce que les objets de notre foi et de notre amour ne sont pas la vision profonde et l'expérience directe de la souffrance et du bonheur, mais de simples notions et de simples idées.

Nous avons vu que notre notion du bonheur est quelque chose de dangereux, mais c'est aussi le cas de notre notion de Dieu, du nirvâna ou du Bouddha. Un jour, lors d'un enseignement sur le Dharma, un maître zen a employé le mot Bouddha. Comme il était en pleine conscience, il a voulu préciser : « Je n'aime pas utiliser le mot Bouddha ; je suis même allergique à ce mot. Chers amis, savez-vous que chaque fois que je prononce le mot Bouddha je dois aller aux toilettes me rincer la bouche au moins trois fois ? »

Suite à ces paroles du maître zen, une personne dans l'assistance a souri, s'est levée et a dit : « Maître, moi aussi je suis allergique au mot Bouddha. Chaque fois que je vous entends prononcer le mot Bouddha, je dois aller à la rivière me laver les oreilles trois fois. » Il voulait dire : « Si vous êtes libéré de la notion de Bouddha, sachez que je suis libéré moi aussi du mot Bouddha et de la notion de Bouddha. » C'est le langage du zen. Et avec ce genre de langage, nous savons qu'il ne faut pas se laisser enfermer par les mots et les notions.

Le mot Bouddha et la notion de Bouddha ont entraîné beaucoup de compréhensions erronées et même de souffrance. Avez-vous une notion du Bouddha ? Si tel est le cas, prenez garde ! Vous savez qu'il y a trois ans vous aviez une idée du Bouddha et que maintenant, après trois ans de pratique, vous en avez une autre. C'est peut-être une meilleure idée, mais cela reste une idée.

La vie est précieuse, trop précieuse pour qu'on la perde à cause de notions et de concepts. Très souvent on se nourrit de mots, de notions et de concepts, et pas seulement un jour ou deux mais toute notre vie. Des concepts tels que *nirvâna*, Bouddha, Terre pure, Royaume de Dieu et Jésus ne sont que des concepts. Il faut donc faire preuve de la plus grande prudence et ne pas déclarer une guerre ou détruire les autres à cause de nos concepts.

Donner à manger à l'enfant

Je vais vous parler maintenant des cinq facultés telles qu'elles sont enseignées et pratiquées dans la tradition bouddhiste. La première est la foi. Nous avons la faculté de la foi en nous et nous savons que la foi est très importante. La foi est une énergie qui nous rend vraiment vivants. Regardez dans les yeux une personne qui n'a pas la foi. Vous pouvez voir tout de suite que cette personne n'a pas de vitalité, qu'il n'y a pas de vie en elle. Si cette personne était animée par l'énergie de la foi, ses yeux brilleraient ; vous pourriez le voir sur son visage ou à son sourire. Nous ne pouvons pas nous permettre de ne pas avoir la foi. C'est une sorte d'énergie, de pouvoir.

Les cinq facultés sont parfois décrites comme les cinq pouvoirs. La foi est un pouvoir. Avec le pouvoir de la foi en vous, vous devenez très actif. Vous ne connaissez ni les difficultés ni la fatigue ; vous pouvez surmonter toutes sortes d'obstacles.

La foi est l'énergie qui permet de faire naître la deuxième faculté : l'effort ou la constance dans la pratique. Vous êtes actif et plein d'énergie et de joie. Vous aimez pratiquer la marche méditative et la méditation assise ; vous aimez participer à la méditation du thé ; vous aimez aider les autres à transformer leur souffrance et à découvrir la joie de la pratique. Vous aimez arroser les graines positives dans votre conscience et diminuer l'importance des graines négatives. Motivé par la foi, vous devenez vraiment actif. Par cette constance dans la pratique, vous développez une autre énergie en vous, la pleine conscience, qui est la troisième faculté.

La pleine conscience est le cœur de la méditation bouddhiste. C'est être là, vivant, dans le moment présent, corps et esprit réunis. C'est la capacité de vivre profondément chaque instant de votre vie quotidienne. Vous êtes en pleine conscience quand vous marchez, quand vous buvez votre thé, quand vous êtes assis avec des amis, votre frère et votre maître. Vous savez que ces moments que vous passez avec eux sont très précieux. Vous êtes conscient qu'il est merveilleux de boire le thé avec la Sangha. Tout cela est la manifestation de la pleine conscience. La pleine conscience, c'est être pleinement vivant et vivre profondément chaque instant de votre vie quotidienne. La pleine conscience vous aide à toucher les merveilles de la vie pour vous nourrir et vous guérir. Avec la pleine conscience, vous pourrez embrasser et transformer toutes vos afflictions en joie et en liberté.

Selon l'enseignement du Bouddha, la vie n'est possible que dans l'instant présent. Si vous êtes distrait, si votre esprit n'est pas là avec votre corps, vous passez à côté de votre rendez-vous avec la vie. La pleine conscience est le fruit de votre pratique quand vous avez l'énergie de la continuité dans la pratique. Sans elle, votre pleine conscience ne peut grandir.

Dès l'instant où la pleine conscience est là, une autre sorte d'énergie est là aussi, c'est l'énergie de la concentration – la quatrième faculté. Quand vous buvez votre thé en pleine conscience, votre corps et votre esprit sont concentrés sur une seule chose : boire le thé. Quand vous vivez dans la concentration, vous touchez profondément ce qui est là et vous commencez à comprendre les choses en profondeur. C'est la vision profonde. Si vous êtes là, le corps et l'esprit en parfaite harmonie, vous pouvez apprécier une feuille ou une fleur. Vous n'êtes pas distrait. Vous êtes pleinement là avec cette feuille ou cette fleur. Vous la touchez profondément, vous l'écoutez profondément, vous regardez profondément sa nature, ce qui vous aide à la comprendre et à en avoir une vision correcte. L'objet de votre concentration peut être un nuage, un enfant, votre café, votre pain ou tout autre chose.

Ce genre de compréhension est appelé vision profonde – la cinquième des cinq facultés. La vision profonde est le fruit de l'expérience directe. Cette fleur n'est plus une notion. La personne que je regarde profondément devient la réalité, l'objet de ma pleine conscience, de ma concentration, et plus seulement une notion ou une idée. Si vous vivez avec quelqu'un et que cette personne reste une notion pour vous, vous ne vivez pas avec la réalité de cette personne mais avec la notion de cette personne. La foi, nous l'avons vu, n'est pas faite de notions et d'idées, mais d'une substance appelée vision profonde ou expérience directe.

Vous avez traversé la souffrance, le bonheur, vous avez rencontré ce qui est là et votre foi se fonde sur cette expérience. Personne ne peut vous enlever cette foi, elle ne peut que grandir et grandir encore. Si vous nourrissez ce genre de foi en vous, vous ne deviendrez jamais un fanatique, parce que votre foi est la foi véritable et non une notion.

Si vous avez une idée ou une notion du Bouddha, vous savez que vous pouvez transcender cette idée ou cette notion. Vous devez en faire l'expérience directe. Comment peut-on appréhender le Bouddha en tant que réalité et non en tant que notion ? Ce n'est pas parce que vous avez étudié la vie du Bouddha pendant dix ans que vous pouvez saisir la réalité du Bouddha. Le Bouddha, selon la tradition vivante de la méditation bouddhiste, est quelque chose de vivant dont nous pouvons faire l'expérience ici et maintenant. La substance d'un Bouddha est l'éveil. Bouddha signifie « l'éveillé ».

Le Bouddha n'est pas un Bouddha parce qu'il est né à tel endroit, parce qu'il porte tel nom ou qu'il est le fils d'un homme nommé Suddhodhana et d'une femme nommée Mahayama. Siddhartha est un Bouddha parce qu'il a en lui l'élément de l'éveil. Qu'est-ce que l'éveil ? Là aussi, une idée de l'éveil n'est pas l'éveil. Regardez en vous-même et vous verrez que l'éveil est présent en vous. L'éveil, c'est commencer à comprendre les choses et se libérer des notions. Vous avez déjà connu de nombreux moments d'éveil. Vous avez aussi nourri des illusions dans le passé et vous en avez souffert. Dès l'instant où vous sortez de ces illusions et de ces perceptions erronées, l'éveil naît en vous. Ne dites pas que l'éveil vous est étranger. Vous savez ce que c'est. Quand vous buvez du café, quand vous marchez en tenant la main de votre enfant, vous êtes vraiment là, pleinement présent et concentré, sachant parfaitement l'apprécier. Vous comprenez mieux ce qui se passe. C'est la pleine conscience. C'est la concentration. Ce genre de pleine conscience, de concentration et de vision profonde renforce votre bonheur et votre paix. C'est universel. Vous pouvez rassembler tous ces éveils, les aider à grandir et en faire un héritage. Vous pouvez en faire la base de vos actions, de votre pratique et de votre vie. Vous prenez alors conscience de toute votre richesse spirituelle.

Bien sûr, nous avons tous souffert et nous avons beaucoup appris de nos souffrances, mais avons-nous su en tirer profit ? Avons-nous atteint la vision profonde ?

L'énergie de la pleine conscience porte en elle l'énergie de la concentration et de la vision profonde. Et nous savons tous que nous avons l'énergie de la pleine conscience en nous. Quand je bois du thé, je bois de telle sorte que la pleine conscience soit là. En buvant le thé, je sais que je bois le thé. Cela s'appelle la pleine conscience de boire le thé. En inspirant, je sais que j'inspire, c'est la pleine conscience de la respiration. Quand je marche avec la Sangha, je sais que je marche avec la Sangha, c'est la pleine conscience de la marche. Boire dans l'ici et maintenant, être vraiment là avec le thé, c'est boire en pleine conscience. Respirer dans l'ici et maintenant et toucher profondément l'inspiration et l'expiration, c'est la pleine conscience de la respiration. Marcher dans le moment présent, apprécier chaque pas et la Sangha qui vous entoure, c'est la pleine conscience de la marche. Vous savez que la pleine conscience n'est pas quelque chose d'étranger.

Vous avez la capacité d'être en pleine conscience, et si vous pratiquez avec la Sangha, la communauté, durant une, deux ou trois semaines, vous allez nourrir et cultiver cette énergie en vous. Cette énergie va devenir plus forte : elle vous apportera plus de concentration et de vision profonde, ce qui va renforcer votre foi, votre amour et votre bonheur. On dit que la pleine conscience et la concentration sont le Bouddha en nous-mêmes.

Vous n'avez pas besoin de retourner il y a deux mille cinq cents ans pour rencontrer le Bouddha. En touchant l'énergie de la pleine conscience et de la concentration en vous-même, vous êtes avec le Bouddha immédiatement, vous êtes le Bouddha. Si vous pratiquez avec constance, vous savez que vous cultivez cette précieuse énergie en vous chaque jour et que votre compréhension, votre tolérance, votre bonté et votre amour dépendent de cette énergie. Vous savez que le Bouddha n'est ni un mot ni une notion : le Bouddha est une réalité que vous pouvez toucher chaque jour. Avec ce genre de foi, vous ne deviendrez jamais totalitaire, vous n'essaierez jamais d'imposer vos idées aux autres, parce que votre foi est la foi véritable.

Faire naître l'enfant

La nuit de Noël, nous parlons de la foi, de l'énergie et de l'Esprit Saint. Pour moi, l'Esprit Saint est la foi, l'Esprit Saint est la pleine conscience, l'Esprit Saint est l'amour. L'Esprit Saint est toujours là avec nous. Nous pouvons le toucher en nous-mêmes et l'aider à se manifester, et le cultiver tout comme nous cultivons la pleine conscience.

Après avoir été baptisé par Jean Baptiste dans le Jourdain, Jésus s'est rendu dans le désert où il est resté quarante jours pour renforcer l'Esprit Saint en lui-même. Pendant ces quarante jours, il a pratiqué la méditation assise et marchée. Malheureusement, les Évangiles ne nous disent pas comment il s'asseyait ni comment il marchait. Mais il ne fait aucun doute qu'il s'est assis et qu'il a marché.

Au moment où Jean l'a baptisé, le ciel s'est ouvert et le Saint-Esprit est descendu sur lui sous la forme d'une colombe. C'est ce que disent les Évangiles. Jésus s'est ensuite retiré au désert pour renforcer cette énergie en lui-même. À son retour, il avait assez d'énergie pour réaliser des miracles dans sa vie publique.

L'Esprit Saint est une chose qu'il faut cultiver car ses germes sont déjà en vous. Être baptisé, c'est reconnaître que cet Esprit et cette énergie sont déjà en vous. C'est reconnaître l'Esprit Saint et le toucher en soi-même. En célébrant le baptême, on fait le signe de croix pour rappeler à l'assistance la présence de Dieu, Dieu le Père, Dieu le Fils et le Saint-Esprit.

Au moment du baptême, la tête de la personne est immergée trois fois dans l'eau. La personne qui est baptisée renaîtra de cette eau et du Saint-Esprit. Dans la tradition orthodoxe, c'est toute la tête qui est immergée dans l'eau du baptême ; dans la tradition catholique, on verse simplement l'eau bénite sur la tête. Ce genre de rituel vise à aider les gens à toucher la graine de l'Esprit Saint qui est déjà en eux, à les aider à naître dans leur vie spirituelle. Un enfant naît ; Jésus naît chaque fois que l'Esprit Saint est touché en vous.

C'est la même chose pour ceux qui pratiquent le Dharma. Chaque fois que vous touchez la graine de la pleine conscience et que celle-ci se manifeste en vous, la vie est à nouveau possible. Si vous vivez dans la dispersion, votre corps et votre esprit ne sont pas en harmonie. Si vous êtes perdu dans le futur ou dans le passé, vous n'êtes pas vivant. Mais lorsque la graine de la pleine conscience est touchée en vous, soudain vous devenez vivant, corps et esprit réunis. Vous renaissez. Jésus renaît. Le Bouddha renaît.

Quand vous entendez la cloche de méditation, vous arrêtez de penser. Vous arrêtez de parler et la cloche vous ramène à votre vraie demeure, où l'Esprit Saint et la pleine conscience sont vivants. Alors, vous renaissez, vous renaissez plusieurs fois par jour ; c'est la pratique de la résurrection.

Nous mourons très souvent chaque jour et nous nous perdons tout autant. Et grâce à la Sangha et à la pratique, nous revenons aussi à la vie plusieurs fois par jour. Si vous ne pratiquez pas, vous serez perdu et vous n'aurez pas la chance de renaître. La rédemption et la résurrection ne sont ni des mots ni des objets de croyance mais des pratiques quotidiennes. Et nous pratiquons pour que le Bouddha renaisse à chaque instant de notre vie quotidienne, pour que Jésus-Christ renaisse à chaque instant de notre vie quotidienne et pas seulement le jour de Noël, parce que chaque jour est un jour de Noël, chaque minute est une minute de Noël. L'enfant en nous attend de renaître à chaque minute.

Vous naissez afin de mourir à nouveau, c'est ainsi. Si la Sangha, l'Église et le maître ne sont pas là, vous risquez de mourir à nouveau et de ne pas avoir d'occasion avant longtemps de renaître à nouveau. La Sangha est votre chance, votre occasion, la Sangha est votre vie.

Nous devons faire des progrès constants dans notre vie spirituelle. Il y a beaucoup de gens qui, une fois baptisés, pèchent à nouveau et se confessent, pour recommencer à pécher et à se confesser. Y a-t-il un quelconque progrès à agir ainsi ? Si tel n'est pas le cas, nous devons transformer la situation. Nous ne pouvons pas nous permettre de laisser les choses se passer ainsi. C'est une tragédie en même temps qu'une comédie. Nous devons aider notre foi et notre amour à grandir et à se développer. Et si notre foi et notre amour continuent de grandir, notre bonheur grandira aussi. Si vous n'êtes pas en paix, heureux et solide, comment pouvez-vous espérer aider les autres à être heureux, solides et stables ? Alors asseyons-nous ensemble en groupes de frères et de sœurs, en tant que Sangha, pour pratiquer le regard profond dans notre vie et dans notre façon de la mener. Nous sommes censés être déjà nés dans notre vie spirituelle. Savons-nous prendre soin de notre vie pour que chaque fois que nous renaissons nous en sortions plus forts ? En cultivant la pleine conscience, la concentration et la vision profonde dans notre vie quotidienne, nous deviendrons plus ouverts et plus tolérants et notre foi et notre amour se renforceront en nous. Nous savons aussi que sans une Sangha et une pratique continuelle nous ne pourrons pas nous développer. Nous n'arriverons nulle part. Il n'y aura pas de vie spirituelle.

Quand un maître vous transmet les trois refuges et les cinq entraînements à la pleine conscience, il ramène à la vie le saint enfant en vous. Mais ce n'est qu'un début, parce que prendre refuge est une pratique que vous devez continuer toute votre vie. Prendre refuge dans le Bouddha, le Dharma et la Sangha, embrasser Dieu le Père, Dieu le Fils et Dieu l'Esprit n'est pas une question de rituel. Le rituel n'est qu'un moyen de toucher et d'éveiller l'esprit qui est en vous. Vous devez intégrer la pratique dans votre vie quotidienne, que ce soit en mangeant, en conduisant la voiture, en vous lavant ou en faisant la cuisine. C'est quelque chose qu'on peut apprendre dans les différentes traditions. Pour vous aider à renforcer l'Esprit Saint en vous, il y a un deuxième sacrement appelé la confirmation. Pourquoi la confirmation ? Parce que le Saint-Esprit est né en vous mais qu'il n'est pas encore assez fort. Vous devez le cultiver. Jésus a aussi renforcé le Saint-Esprit en lui-même après avoir été baptisé par Jean. Il savait que cette énergie devait être nourrie et c'est pourquoi il s'est retiré au désert.

Quand le prêtre confère la confirmation, il pose sa main au-dessus du baptisé et sa main représente l'énergie du Saint-Esprit. En principe, lorsqu'il pose sa main ainsi, le Saint-Esprit doit être fort en lui et dans la congrégation. La personne qui reçoit la confirmation ouvre son cœur de façon à renforcer le Saint-Esprit en elle.

Le troisième sacrement est le moment solennel où une personne fait la promesse de s'unir à une autre personne qu'elle considère comme un compagnon de vie sur le chemin de la vie et de la pratique. Ce sacrement s'appelle le mariage. Ou alors la personne décide de rejoindre la vie des religieux et de dédier sa vie à la communauté (la Sangha) afin de servir Dieu et tous les êtres vivants. C'est ce qu'on appelle le sacrement de l'entrée dans les ordres.

Dans les deux cas, le religieux ou le laïc doit vivre le reste de sa vie de manière à pouvoir recevoir l'énergie de Dieu dans sa vie quotidienne. À cet effet, il doit pratiquer régulièrement les quatre sacrements, dont la messe qu'on appelle aussi la sainte Eucharistie. Ce sacrement est à la fois une pratique pour permettre à l'Esprit Saint de nous habiter et pour nous rappeler à nous-mêmes que nous devons laisser l'Esprit Saint vivre en nous. Le sacrement est un succès si le pratiquant est capable de vivre chaque instant de sa vie quotidienne en présence de Dieu. C'est comme un pratiquant bouddhiste qui doit s'établir en pleine conscience jour et nuit, conscient de ce qui se passe dans le monde du corps, des sensations, des perceptions et des objets de perception.

Le dernier sacrement est le sacrement donné aux malades, pour aider la personne à mourir en paix et à se préparer à un nouveau départ. Le succès de ce sacrement tient à la pratique de cette personne au cours de sa vie de chrétien ainsi qu'à la vitalité de celui qui l'accomplit. Le succès est caractérisé par la paix et la non-peur.

Mais comme ces sacrements ne sont reçus qu'à certaines occasions, vous devez vous confirmer chaque jour et même chaque heure, chaque instant de votre vie quotidienne. Buvez votre café de manière à renforcer l'Esprit Saint en vous. Préparez votre repas de telle sorte que l'Esprit Saint soit renforcé en vous.

Est-il suffisant d'aller à l'église chaque dimanche ? Non. Les gens ont l'air plein de bonté à l'église mais, une fois dehors, il n'y a plus rien. Quelques heures passées à l'église ne peuvent compenser le temps passé en confusion, en colère et en destruction en dehors de l'église.

Renforcer l'enfant

Nous devons apprendre la voie. Dans la tradition bouddhiste, on apprend le fonctionnement de l'esprit. L'étude de l'esprit est très importante dans le bouddhisme. Si vous avez lu les sûtras du Bouddha, vous savez que le Bouddha avait une connaissance très étendue de l'esprit. Sa vision profonde sur le fonctionnement de l'esprit est essentielle pour la pratique du Dharma. La pleine conscience nous aide à reconnaître les formations mentales qui se manifestent dans notre vie quotidienne. Elle prend soin de chacune d'elles, qu'elles soient positives ou négatives. Il n'y a pas de lutte intérieure. Pratiquer la méditation bouddhiste ne nous transforme pas en un champ de bataille où le bien affronte le mal.

La non-dualité est la caractéristique principale de l'enseignement et de la pratique bouddhistes. Si vous connaissez cette pratique, vous êtes déjà en paix. Vous pouvez embrasser votre souffrance et vos énergies négatives avec tendresse. On apprend dans le bouddhisme que le négatif est utile pour créer le positif. C'est comme pour les déchets : si vous savez les traiter, vous en tirerez des fleurs et des légumes. Les déchets peuvent être transformés en compost, et le compost est essentiel pour les fleurs et les légumes. Vous embrassez donc chaque chose qui est en vous.

Le dialogue qui s'est instauré entre le bouddhisme et le christianisme et qui devrait se développer au cours du XXIe siècle sera très intéressant. La rencontre des pratiquants des deux traditions produira des résultats merveilleux, et toutes deux pourront apprendre l'une de l'autre. D'après moi, s'il y a une réelle rencontre entre le bouddhisme et le christianisme, il y aura une transformation profonde du christianisme qui dévoilera les joyaux de cette tradition. Si nous apportons au christianisme l'interêtre et la non-dualité, cela transformera radicalement la façon dont les gens considèrent cette tradition, ce qui permettra d'en redécouvrir tous les trésors.

Le monde où cet enfant vivra

« Notre père qui es aux cieux, que ton nom soit sanctifié. » Il y a une autre dimension à la vie que nous n'avons pas encore touchée et qu'il est essentiel de toucher : la dimension du Père, la dimension du ciel, du paradis. Que vous l'appeliez nirvâna ou Père n'est pas si important. L'important est de reconnaître qu'il existe une autre dimension et que nous devons la toucher.

Revenons à l'image de l'océan. Visualisons-nous comme autant de vagues à la surface de l'océan. Nous passons notre temps à nous regarder les unes les autres en tant que vagues sans voir que nous sommes faites d'eau. Pour les vagues, il y a la naissance et la mort, des hauts et des bas, moi et vous. Mais si vous êtes capable de toucher l'autre dimension – l'eau –, vous serez libéré de toutes ces notions.

Cette dimension de l'eau n'est pourtant pas séparée de la dimension de la vague. Si vous retirez l'eau, il n'y aura pas de vagues, et si vous retirez les vagues, il n'y aura pas d'eau. Il y a deux dimensions : celle des vagues et celle de l'eau. En naissant dans notre vie spirituelle, nous sommes encouragés à toucher l'autre dimension : la dimension du Père. « Notre père qui es aux cieux, que ton nom soit sanctifié. » Le Père n'est pas la notion habituelle que nous avons du père. Ce n'est pas le père biologique, car ce père aurait besoin d'une femme pour vous engendrer. Il devrait travailler, il aurait besoin d'une maison pour lui, votre mère et vous, etc. Dans la dimension historique, si l'on parle du père il faut aussi parler de la mère et les voir en tant que couple.

Dans ce sens, le mot père renforce les notions que nous avons du père. Mais dans l'autre sens, le mot Père évoque une autre réalité, l'autre dimension. Ne nous attachons donc pas au mot Père et à la notion de Père. Par conséquent, « que ton nom soit sanctifié » ne désigne pas vraiment un simple nom. Lao-tseu a dit : « Le nom que l'on peut nommer n'est pas le vrai nom. » Il faut donc être très prudent. Le nirvâna signifie l'extinction de toutes les notions.

Le Père serait ainsi un nom qui ne peut être nommé. Si vous avez une idée du Père, prenez garde à ne pas devenir un dictateur ! Les vagues sont l'eau, mais si une vague essaie de comprendre l'eau en termes de hauts et de bas, de moi et vous, elle ne pourra pas toucher l'eau. Pour toucher l'eau, la vague a besoin de se débarrasser de toutes ces notions. La vague a des hauts et des bas, mais l'eau est libérée des hauts et des bas. La vague croit naître et mourir, mais l'eau est libre de tout cela. C'est pourquoi la vague qui essaie de comprendre l'eau en ces termes ne touchera jamais l'eau.

Le maître zen évoqué tout à l'heure était très prudent avec le mot Bouddha, de même que son élève. Nous utilisons le mot Bouddha de telle sorte que celui qui écoute reste libre. Nous écoutons le mot Bouddha de façon à rester libre. Libre de quoi ? Libre des notions et des mots. Dieu en tant que Père n'a pas besoin de célébrité. Dieu a-t-il besoin d'être populaire ? Nous pensons à Dieu en termes de hauts et de bas, de naissance et de mort, de moi et Lui. C'est dangereux. « Que ton nom soit sanctifié. » Cet enseignement est très profond. Il faut se débarrasser de toutes les notions de Dieu pour que Dieu soit présent. Le Saint-Esprit, l'énergie de Dieu en nous, est la vraie porte. Nous pouvons reconnaître le Saint-Esprit en nous en tant qu'énergie et non en tant que notion ou mot. Là où il y a de l'attention, le Saint-Esprit est présent. Là où il y a de la compréhension, le Saint-Esprit est présent. Là où il y a de l'amour et de la foi, le Saint-Esprit est présent. Nous sommes tous capables de reconnaître le Saint-Esprit lorsqu'il est présent.

Il en va de même de la pleine conscience. Si une sœur est en pleine conscience, nous savons que la pleine conscience est là. Si une sœur n'est pas en pleine conscience, nous savons que la pleine conscience n'est pas présente. Si les yeux d'une sœur brillent à cause de sa foi et de son amour, nous savons que la foi et l'amour sont là. C'est la même chose avec l'énergie qu'on appelle le Saint-Esprit : le Saint-Esprit doit être reconnu non pas en tant qu'idée ou mot. Nous en sommes tous capables et dès lors nous ne sommes esclaves ni des notions ni des mots, et savons comment cultiver l'Esprit Saint en nous-mêmes.

Cultiver l'Esprit Saint

Jésus-Christ a cultivé l'Esprit Saint. La confirmation, l'Eucharistie, toutes ces pratiques visent à cultiver l'Esprit Saint en nous. Dans un temple bouddhiste, chaque son de la cloche est une nouvelle occasion de confirmer sa foi, de toucher le nirvâna, de revivre et de naître à nouveau. C'est pourquoi au Village des Pruniers nous n'utilisons pas seulement la cloche, mais aussi la sonnerie du téléphone et le carillon. Et chaque fois nous recevons l'Esprit Saint, nous touchons l'Esprit Saint, la pleine conscience. Le fait de voir un frère qui marche en pleine conscience ou une sœur qui sourit est aussi une occasion de renaître. Nous pouvons nous établir dans la pleine conscience dans notre vie quotidienne et c'est la meilleure façon de cultiver l'Esprit Saint en nous.

« Notre Père qui es aux cieux », c'est l'autre dimension. Nous devons apprendre cette dimension dans notre vie quotidienne. Nous n'avons pas besoin d'attendre de mourir pour atteindre l'autre dimension ; ce pourrait être trop tard. Vous n'avez pas besoin de mourir pour entrer dans le Royaume de Dieu. Faites-le maintenant, tant que vous êtes en vie. Ce n'est d'ailleurs possible que si vous êtes pleinement en vie. Pensez-vous qu'une vague doive attendre de mourir pour devenir l'eau ? Non, la vague est déjà l'eau, mais seulement elle l'ignore et c'est pourquoi elle souffre tant. La pratique consiste donc à reconnaître que le Saint-Esprit est là, que Dieu le Père est là, que l'autre dimension est là, accessible : « Que ton règne vienne. » En réalité, le Royaume n'a pas besoin de venir et vous n'avez pas besoin de vous y rendre : il est déjà là. Il n'y a ni allée ni venue dans le langage du bouddhisme.

Dans le bouddhisme, nous parlons de la dimension ultime et de la dimension historique. Prenez par exemple la dimension historique d'une feuille. La feuille a l'air de naître en avril et de mourir en novembre. La feuille semble ne pas exister avant le mois d'avril et cesser d'exister lorsqu'elle tombe par terre. C'est à cause de notre façon de regarder : nous ne touchons pas la dimension historique assez profondément. Mais si nous touchons la dimension historique profondément, nous toucherons la nature de non-naissance et de non-mort de la feuille. C'est la même chose pour une vague. Si vous voyez que la vague est là, et qu'avant de s'élever elle n'était pas là et qu'après elle cesse d'exister, qu'elle n'est plus là, c'est parce que vous n'avez pas regardé les choses assez profondément. Mais si vous touchez la feuille et la vague assez profondément, vous aurez une autre vision des choses, une vision profonde, et vous verrez que la feuille est éternelle, qu'elle ne peut pas mourir. La vraie nature de la feuille, votre vraie nature, est la nature de la non-naissance et de la non-mort. La naissance est une notion, tout comme la mort, et nous devons nous défaire de ces notions.

Nous vivons notre vie quotidienne dans la dimension historique. Nous sommes un enfant du Saint-Esprit, un enfant du Bouddha et de la pleine conscience. C'est pourquoi, tout en vivant dans la dimension historique, nous apprenons aussi à vivre dans la dimension ultime. Quand vous pratiquez la marche méditative et que vous êtes sur le point de marcher sur une feuille morte, faites en sorte de voir sa nature de non-naissance et de non-mort. Sachez que vous en êtes tout à fait capables.

Votre pratique d'enfant spirituel, c'est de vivre chaque instant de votre vie quotidienne de façon à toucher l'autre dimension, celle du Père. Si vous touchez le Père, votre peur et vos souffrances disparaîtront. « Que ta volonté soit faite sur la terre comme au Ciel. » Cela signifie qu'il faut être vivant et toucher les deux dimensions, l'ultime comme l'historique. Le ciel est sur la terre et la terre est au ciel. La vague est dans l'eau et l'eau est dans les vagues. Le ciel ne désigne donc pas un endroit dans l'espace, et c'est une chose que beaucoup de nos amis chrétiens savent très bien. Notre Père et le ciel où Il se trouve ne sont pas quelque part, très loin dans l'espace, ils sont dans nos cœurs. Ce n'est pas difficile à voir, que l'on soit chrétien ou bouddhiste. Vivez votre vie quotidienne de façon à pouvoir toucher les deux dimensions.

Devenir vivant

« Donne-nous notre pain quotidien. » Ne vous souciez pas de demain ou d'hier, vous n'avez besoin que d'aujourd'hui. Si vous vous inquiétez trop, vous allez souffrir. Vivre profondément dans l'instant présent, telle est la pratique. Le Royaume n'est pas pour demain, le Royaume n'est pas dans le passé. Le Royaume est maintenant. Nous avons besoin de nourriture aujourd'hui, pas seulement de pain, de muesli ou de beurre. Nous avons besoin d'être vivants à chaque instant. Nous avons besoin d'une nourriture qui nous rende vivants à chaque instant de notre vie, pour que nous puissions nourrir notre amour, notre foi, notre solidité et notre tolérance. Nous avons désespérément besoin de ce type de nourriture.

Il y a tant de gens qui ont faim de nourriture spirituelle et tant de fantômes affamés. Pourtant, rares sont les personnes qui sont animées par l'esprit d'amour pour devenir moines et prêtres, parce que nous n'avons pas su les nourrir avec ce genre de nourriture. Nous ne croyons pas à la confession et au péché à répétition, mais nous n'avons pas non plus le Dharma dont nous avons besoin. C'est pourquoi nous n'avons pas su nourrir notre vraie foi, notre véritable amour. Nous nous sommes accrochés à des idées et à des notions comme nourriture, mais cela ne suffit pas. Notre faim n'est pas assouvie. Nous en parlons beaucoup, mais nous ne mangeons jamais réellement.

Même quand Jésus nous offre le pain, nous continuons à manger l'idée du pain. Le pain que Jésus nous a offert est le pain véritable, et si vous pouvez le manger, vous avez la vraie vie. Mais nous ne sommes pas capables de manger le vrai pain. Nous essayons seulement de manger le mot pain ou la notion de pain. Même quand nous célébrons l'Eucharistie, nous mangeons des notions et des idées. « Prenez, ceci est mon corps, ceci est mon sang. » Peut-il y avoir un langage plus radical pour vous éveiller ? Jésus aurait-il pu dire mieux ? Vous avez mangé des idées et des notions, mais pour devenir vivant, vous devez manger le vrai pain. En revenant au moment présent, en étant pleinement vivant, vous saurez que ce morceau de pain est le pain véritable, le corps du cosmos tout entier.

Si le Christ est le corps de Dieu, ce qu'il est, alors le pain qu'il nous offre est aussi le corps du cosmos. Regardez profondément et vous verrez le soleil, le ciel bleu, le nuage et la terre dans le pain. Pouvez-vous me dire ce qu'il n'y a pas dans un morceau de pain ? Le cosmos tout entier vous apporte ce morceau de pain, et vous le mangez de manière à devenir vivant, pleinement vivant. Au Village des Pruniers, vous apprenez à manger votre muesli en pleine conscience, parce que le muesli est le corps du cosmos. Mangez-le de telle sorte que la foi, l'amour et l'éveil soient possibles. Que vous le mangiez dans la salle de méditation ou dans la cuisine n'a pas d'importance. Ce qui compte, c'est de manger en pleine conscience, de manger en présence de Dieu. Mangez votre muesli de telle sorte que l'Esprit Saint devienne une énergie en vous et que le morceau de pain que Jésus vous donne cesse d'être une idée, une notion.

Où est ce morceau de pain ? Les douze disciples ont-ils tout mangé ? Non, il en reste. Le morceau de pain que Jésus nous a offert est toujours là. Nous avons maintes occasions d'en manger, que ce soit sous la forme d'un muesli, d'une galette de maïs ou d'un gâteau de riz. Ce morceau de pain est toujours disponible, dans l'ici et maintenant. Vous êtes invité à la table de Jésus ce soir, demain et pour toujours. Vous avez besoin de manger pour redevenir vivant, pour que la vraie foi, le véritable amour, soient nourris en vous et que le bonheur devienne une réalité pour vous-même et beaucoup d'autres.

Nous célébrons Noël. Nous célébrons la naissance d'un enfant. Mais regardons en nous-mêmes : il y a aussi un enfant à naître en nous. Notre pratique doit permettre à cet enfant de naître à chaque instant de notre vie quotidienne. Joyeux Noël à vous tous !

QUATRIÈME PARTIE

LE CORPS DU DHARMA, LE CORPS DE LA VÉRITÉ [1]

Poursuivons sur le thème de la foi. Nous avons vu précédemment que l'objet de notre foi ne doit pas se limiter à une idée ou une notion. Nous devons pratiquer de notre mieux et notre foi doit se fonder sur notre vision profonde, notre expérience directe.

Dans la tradition bouddhiste, nous pratiquons les trois refuges. *Je prends refuge dans le Bouddha. Je prends refuge dans le Dharma. Je prends refuge dans la Sangha.* Je dis toujours que la prise de refuge n'est pas une question de croyance, mais de pratique. Il ne s'agit pas seulement d'affirmer votre foi en le Bouddha, mais de prendre vraiment refuge dans le Bouddha. Mais que veut dire prendre refuge dans le Bouddha ? Comment procède-t-on ?

Avec le regard profond, nous voyons que les trois

1. Enseignement donné le 26 décembre 1995 au nouveau hameau du Village des Pruniers.

refuges peuvent être compris de deux manières. L'une consiste à chercher une protection. La vie est pleine de dangers ; nous ne savons pas ce qui va nous arriver aujourd'hui ou demain, ce qui nous donne le sentiment de vivre dans l'insécurité. Nous avons tous besoin de prendre refuge, de rechercher une protection intérieure. Dans ce sens, « prendre refuge dans le Bouddha » signifie rechercher la sécurité du Bouddha.

La profondeur de notre pratique dépend de notre vision profonde et de notre compréhension de ce qu'est le Bouddha. Dès lors, on peut distinguer le « bouddhisme populaire » du « bouddhisme profond », deux notions qui ne sont pas forcément contradictoires. À première vue, on pourrait croire que le Bouddha est quelqu'un d'extérieur à nous-mêmes – quelqu'un d'autre. Il y a des gens qui croient que le Bouddha est Dieu, et d'autres qui savent que le Bouddha est un être humain comme nous, mais qu'il a pratiqué et atteint un très haut niveau d'éveil, de compréhension et de compassion. Mais nous croyons que cette personne est quelqu'un d'étranger auprès de qui nous devons chercher refuge. *Buddham Saranam Gacchami* : Je cherche refuge en le Bouddha.

Si vous pratiquez bien, un jour vous comprendrez que le Bouddha n'est pas quelqu'un d'autre. Le Bouddha est en nous, parce que la substance d'un Bouddha est la pleine conscience, la compréhension et la compassion. Si vous pratiquez bien et que vous écoutez le Bouddha, vous saurez que vous avez la nature de Bouddha en vous. Vous avez la capacité de vous éveiller, d'être plein de compréhension et de compassion. Nous avons donc fait des progrès, et maintenant nous recherchons le Bouddha en nous-mêmes. Le Bouddha cesse d'être un autre. Le Bouddha peut être touché partout, et particulièrement en vous-même. Tant que vous n'aurez pas touché la nature de Bouddha ou la bouddhéité en vous-même, vous ne pourrez pas toucher le Bouddha. Si Shakyamuni, le Bouddha historique, possède la bouddhéité, vous avez vous aussi votre bouddhéité.

On commence par dire : « Je prends refuge dans le Bouddha », et plus tard on dit : « Je prends refuge dans le Bouddha en moi-même. » C'est ainsi que les Chinois, les Japonais, les Vietnamiens et les Coréens récitent les trois refuges : « Je prends refuge dans le Bouddha en moi-même. »

« Je prends refuge dans le Bouddha, celui qui me montre la voie dans cette vie. » « Celui qui me montre la voie dans cette vie » commence avec Shakyamuni l'Éveillé. Mais si vous pratiquez bien, vous verrez qu'il n'est pas quelqu'un d'autre, parce que vous avez la nature de Bouddha en vous-même et que vous prenez refuge dans cette nature de Bouddha en vous-même. Cela devient une expérience directe. Dès lors, l'objet de votre foi n'est plus seulement une idée sur une personne nommée Shakyamuni, ni même une idée au sujet de la bouddhéité ou de la nature de Bouddha. Désormais vous touchez la nature de Bouddha non pas en tant qu'idée mais en tant que réalité. La nature de Bouddha est la capacité d'être éveillé, pleinement conscience, concentré et compréhensif. Et vous savez très bien que c'est une réalité que vous pouvez toucher en vous-même à tout moment.

Nous avons introduit une nouvelle traduction des trois refuges dans la version révisée du livre de chant de l'an 2000 : *Prenant refuge dans le Bouddha en moi-même, je souhaite que tous les êtres puissent reconnaître leur nature d'éveil et bientôt produire l'esprit le plus élevé de l'éveil, la bodhicitta.* Prendre refuge dans le Bouddha signifie ici toucher la nature de Bouddha en vous-même, toucher la graine d'éveil en vous, avoir une expérience directe de cette nature d'éveil jusqu'à produire et faire naître la pensée de l'éveil, le vœu de l'éveil. La *bodhicitta* est notre désir le plus profond à tous, le désir d'être éveillé, de nous libérer de la souffrance et d'aider les êtres vivants.

Prendre refuge dans le Bouddha de cette manière, c'est générer l'énergie de l'amour. Vous voyez la souffrance en vous-même et autour de vous. Vous êtes déterminé à y mettre fin en touchant la nature de la compréhension, de la compassion et de l'éveil en vous-même. De par votre capacité à toucher la nature de Bouddha en vous-même, vous produisez l'esprit d'éveil. Vous faites le vœu de devenir un bodhisattva afin d'apporter un soulagement et une transformation à tous les êtres vivants. C'est un engagement et une pratique très puissants. Avec l'énergie de la *bodhicitta*, vous devenez immédiatement un Bouddha.

« Produire l'esprit le plus élevé » signifie produire la *bodhicitta* – l'énergie de l'amour. Nous savons que ce n'est pas juste une formule à réciter ou une simple quête de refuge ou de protection.

C'est bien plus que cela. Il y a de la protection, bien sûr, mais le genre de protection le plus élevé qui soit. Quand vous prenez conscience que vous avez la nature de Bouddha en vous-même, que l'énergie de l'esprit d'amour est en vous, alors vous devenez un bodhisattva capable d'affronter toutes sortes de dangers et de difficultés.

Le Dharma en moi-même

Prenant refuge dans le Dharma en moi-même, je souhaite que tous puissent apprendre et maîtriser les portes du Dharma, afin de nous engager ensemble sur le chemin de la transformation. Si vous voulez vraiment prendre refuge dans le Dharma, vous devez apprendre et maîtriser toutes les pratiques et tous les enseignements transmis par le Bouddha et la Sangha. « S'engager ensemble sur le chemin de la transformation » signifie que la pratique doit être constante et quotidienne, tout comme le travail de transformation. Il ne s'agit donc pas d'une question de croyance ou de protection, mais de pratique. Le Dharma doit être pratiqué. Une simple déclaration d'intention n'est pas suffisante. Vous devez vivre ce que vous affirmez.

Le corps de la Sangha est votre corps

Prenant refuge dans la Sangha en moi-même, je souhaite que tous les êtres soient capables de bâtir une Sangha harmonieuse avec les quatre commu-

nautés, afin de guider, d'embrasser et d'aider tous les êtres vivants. Les quatre communautés ou quatre Sanghas sont celles des moines, des moniales et des laïcs, hommes et femmes.

Quand vous chantez les trois refuges, vous savez ce que vous avez à faire. Votre tâche est d'aider à bâtir la Sangha, car la Sangha est le seul moyen de réaliser l'idéal du Bouddha et du Dharma. Sans la Sangha, nous ne pouvons pas aider les êtres vivants ni accomplir le travail de transformation dans le monde. C'est pourquoi en prenant refuge dans la Sangha vous devez vraiment contribuer à construire des Sanghas. Servez-vous de vos talents pour rassembler, embrasser et former un corps solide. Cela signifie aussi un travail d'éducation, de transformation et d'embellissement de la Sangha.

Maintenant, si l'on compare avec l'ancienne traduction, on voit la différence. L'ancienne traduction dit : « Quand je prends refuge dans le Dharma en moi-même, je fais le vœu que tous puissent pénétrer profondément le *tripitaka*, les trois corbeilles, et que leur sagesse soit aussi vaste que l'océan. » La nouvelle formulation est plus concrète. Quand vous prenez refuge dans le Dharma, il faut non seulement apprendre les sûtras, mais aussi maîtriser et vraiment comprendre les pratiques concrètes, les portes du Dharma. Et avec d'autres vous vous engagez sur le chemin de la compréhension. Il n'est pas suffisant de souhaiter que tout le monde soit capable de pénétrer profondément les trois corbeilles (l'ensemble des sûtras et des préceptes transmis par le Bouddha jusqu'à sa mort ainsi que les enseignements donnés au cours du siècle suivant). Cela signifie maintenant que vous pouvez unifier et guider la Sangha et qu'il n'y pas d'obstacles – vous pouvez le faire librement.

Si vous pensez être un bon pratiquant, vous êtes pour bâtir des Sanghas. Où que vous soyez, vous devez consacrer votre temps et votre énergie à bâtir des Sanghas. Vous construisez les quatre composantes de la Sangha : les moines pleinement ordonnés, les moniales pleinement ordonnées et les laïcs, hommes et femmes. Vous rassemblez ces quatre communautés pour embrasser, éduquer et transformer les êtres vivants.

Revenons maintenant à la pratique des cinq facultés dont nous avons parlé le jour de Noël. Les cinq facultés sont la foi, la constance dans la pratique, la pleine conscience, la concentration et la vision profonde. Selon le principe, nous devons toujours chercher à approfondir notre compréhension. Le principe est fixé au départ. L'objet de notre foi ne doit pas être une simple notion, un concept ou une idée, mais une véritable vision profonde de la réalité, une véritable expérience directe.

Alors, quand on dit : « Je crois dans le Bouddha, Je crois dans le Dharma. Je crois dans la Sangha », le Bouddha, le Dharma et la Sangha ne doivent pas seulement être des idées. « Je crois en la nature d'éveil qui fait partie intégrante de moi-même » pourrait être un acte de foi bouddhiste. Mais il faut pratiquer pour toucher et reconnaître la nature d'éveil en soi-même, sans quoi ce ne sera pas une pratique mais une affirmation, une simple idée.

Quelle est la nature de l'éveil ? Il y a tant de gens, y compris bouddhistes, qui parlent de la nature de l'éveil sans vraiment savoir ce qu'est la bouddhéité. Nous possédons tous la nature d'éveil et nous pouvons la toucher dans notre vie quotidienne. Nous savons déjà que la pleine conscience est une énergie que l'on peut générer en soi-même. Durant la marche méditative, nous sommes capables d'être pleinement conscients de chacun de nos pas. La marche méditative est donc quelque chose que vous pouvez faire, de même que vos enfants. Vous savez que la pleine conscience est quelque chose de réel et plus qu'une idée, et qu'en pratiquant bien vous cultiverez l'énergie de la pleine conscience chaque jour pour qu'elle devienne une puissante source d'énergie en vous-même.

Dans un chant du Village des Pruniers, il est dit que la pleine conscience est le Bouddha. En générant cette énergie, vous apportez le Bouddha dans le moment présent, sous la forme d'une énergie de protection qui vous guide et vous soutient. Vous voulez une protection, mais quel genre de protection ? Une notion ? Non, une notion ne peut suffire à vous protéger. Qu'il s'agisse de la notion du Bouddha, de Dieu ou de l'Esprit Saint, aucune ne peut suffire à vous protéger. Pour que la protection soit réelle, il vous faut quelque chose de plus substantiel qu'une notion.

Vous savez que la pleine conscience est une énergie qui nous protège. Quand vous conduisez une voiture, c'est la pleine conscience qui vous aide à ne pas avoir d'accidents. Si vous êtes ouvrier dans une usine, c'est la pleine conscience qui empêche les accidents. Lors d'une conversation, la pleine conscience vous aide à ne rien dire qui puisse briser votre relation. La pleine conscience est donc le Bouddha, l'agent de votre protection. C'est le Bouddha non pas en tant que notion, mais en tant que réalité. À partir du moment où vous avez touché la nature de la pleine conscience en vous-même, vous savez que vous reposez sur des bases solides.

Tous les bouddhas et les bodhisattvas affirment que vous avez la nature d'éveil en vous-même. La nature d'éveil est la base même de votre être et de votre pratique. Avec cette nature d'éveil vous ne pourrez pas vous perdre. Avec l'énergie de la pleine conscience comme base, la concentration et la sagesse pourront naître pour vous protéger et vous aurez ainsi une direction où aller. Si vous n'avez pas de direction, vous serez perdu et vous ne pourrez pas être heureux. Il est très important de savoir où aller. Si vous ne savez pas où aller, vous allez beaucoup souffrir. C'est la nature de la foi telle que je l'ai comprise dans les enseignements du Bouddha.

Les trois refuges sont pour tout le monde

Quand vous prenez refuge dans le Bouddha, vous reconnaissez votre base, le sol sur lequel vous vous tenez, la nature d'éveil. Deuxièmement, vous êtes protégé par l'énergie de la pleine conscience, de la concentration et de la vision profonde. Troisièmement, vous avez une direction, vous avez la foi, vous savez où aller. Chaque pas vous rapproche de l'éveil parfait, de la solidité, de la liberté. Et en produisant cette énergie d'éveil, vous commencez à apprécier le chemin de la solidité, de la liberté et de la joie.

C'est une erreur de croire que les trois refuges sont seulement pour les débutants. Les trois refuges sont pour tout le monde. Même après quinze ans de pratique, vous en avez toujours besoin. Quand vous prenez profondément refuge dans le Bouddha en vous-même ou dans votre capacité d'éveil, vous voyez que vous pratiquez en même temps les deuxième et troisième refuges. Il y a un chemin (le Dharma), et vous avez pris ce chemin de compréhension et de compassion. Il y a des pratiques que vous devez apprendre à maîtriser pour avancer sur le chemin de la transformation, pour vous-même et pour la transformation collective de votre Sangha.

Votre Sangha élargie est composée de la société et de tous les êtres vivants, parce que votre pratique bénéficie à la société des hommes et des femmes, mais aussi aux arbres, aux animaux et aux minéraux. C'est votre Sangha élargie. Vous savez que la Sangha est aussi un agent de protection. Ceux d'entre nous qui ont vécu dans une Sangha savent bien qu'on ne peut pas vraiment profiter pleinement du Bouddha et du Dharma sans la Sangha. La Sangha nous protège, nous guide et nous soutient et nous ne pouvons pas vivre sans elle, de même qu'un tigre ne peut vivre sans sa montagne. Si le tigre quitte la montagne pour descendre dans la plaine, il sera capturé et tué par les hommes. Un pratiquant sans Sangha est perdu, parce qu'il perd très vite sa pratique. C'est pourquoi il est si important de prendre refuge dans la Sangha. Retournez tout de suite dans votre Sangha – n'attendez pas. Et contribuez à bâtir une Sangha pour vous protéger, vous soutenir et vous guider. Ce ne sont pas que des mots. La Sangha n'est pas une idée, la Sangha devrait être une réalité et l'objet de votre pratique quotidienne.

Prendre refuge dans le Dharma est la même chose. Sans le Dharma, vous êtes perdu. Je prends refuge dans le Dharma, j'ai une grande confiance dans le Dharma. Du fait que j'ai pratiqué le Dharma, je ne peux pas vivre sans le Dharma. Je pratique pour que le Dharma et moi-même ne fassions plus qu'un. Chaque fois que vous vous sentez contrarié, que vous vous réveillez la nuit et que vous vous sentez anxieux ou mal à l'aise, chaque fois que vous vous sentez envahi par un sentiment de désespoir, que faites-vous ? Le Dharma est là pour vous, et si vous avez pratiqué, vous savez qu'il suffit d'embrasser votre sentiment de désespoir, de tension ou de malaise avec l'énergie de la pleine conscience. Vous n'avez pas à combattre. Vous pratiquez simplement la respiration consciente et invitez l'énergie de la pleine conscience à venir embrasser tendrement votre sentiment d'agitation ou de désespoir.

Il vous arrive parfois d'être si excité que vous ne parvenez pas à trouver le sommeil, même si vous savez que vous avez besoin de dormir encore un peu parce qu'une longue journée vous attend demain.

Vous ne connaissez peut-être pas la cause de cette excitation ou de cette agitation, mais vous n'arrivez pas à fermer l'œil. Mais si vous savez comment inspirer et expirer en invitant le Bouddha à venir vous prendre dans ses bras et rester avec vous, alors très vite la pleine conscience va vous montrer la cause de votre agitation ou de votre excitation. Il n'y a rien à faire. « J'inspire, je sais que je suis agité. » Reconnaissez votre agitation, votre désespoir, embrassez-les tendrement avec l'énergie de la pleine conscience et vous verrez combien cette pratique est merveilleuse. Vous ne luttez pas contre ce sentiment d'agitation ou de désespoir, mais au bout de quelques minutes, peut-être dix, ce sentiment change et vous retrouvez votre calme. Votre calme est une graine dans votre conscience, tout comme votre agitation. Le fait de savoir que la graine de calme et de paix est en vous vous donne confiance. Vous embrassez l'énergie de l'agitation et vous lui souriez. Vous savez que la graine de la pleine conscience est aussi en vous. Subitement, vous vous rendez compte que le sentiment d'agitation est parti et vous pouvez vous rendormir.

Avec le Dharma en vous, vous avez un sentiment de sécurité. Si vous n'avez pas encore appris, si vous n'avez pas maîtrisé les méthodes, faites-le. Vous devez apprendre auprès de votre maître, de votre Sangha de pratique. Au bout d'un certain temps de pratique, vous avez confiance dans le Dharma et vous prenez refuge dans le Dharma. Dès lors, le Dharma n'est plus une notion ou un concept parce que vous savez comment pratiquer.

Ici, au Village des Pruniers, nous savons tous que

si nous sommes en colère, quinze ou vingt minutes de marche méditative peuvent suffire à restaurer notre fraîcheur et notre confiance. Du fait de notre pratique, nous connaissons les vertus de la marche méditative. Nous avons confiance dans le Dharma et nous sommes protégés par le Dharma. Apprendre dans le Dharma, pratiquer dans le Dharma avec la guidance de la Sangha, telle est notre pratique.

La vraie liberté

« Je crois, en tant que bouddhiste, qu'en regardant profondément ma souffrance je serai capable de voir le chemin qui mène à la libération de la souffrance. » C'est une profession de foi bouddhiste, un peu comme pour les trois refuges – « Je prends refuge dans le Bouddha. Je prends refuge dans le Dharma. Je prends refuge dans la Sangha. » Le regard profond est une autre façon d'exprimer votre foi. Je sais que si je regarde profondément dans la nature de ma souffrance, je trouverai une façon de m'en libérer. C'est le premier enseignement sur le Dharma offert par le Bouddha – les quatre nobles vérités. La première noble vérité est la vérité de la souffrance, et personne ne peut voir le chemin tant qu'il n'a pas vu la souffrance. Le chemin est la quatrième noble vérité. La première vérité est *dukkha*, la souffrance. La quatrième vérité est *marga*, le chemin qui libère de la souffrance.

Tout le monde sait que si vous fuyez votre souffrance, vous n'aurez aucune chance de découvrir le chemin qui vous aidera à en sortir. Notre pratique consiste à embrasser la souffrance et à regarder profondément sa nature. Dès l'instant où vous prenez conscience de la nature de votre souffrance, le chemin vous est révélé et vous pouvez le suivre.

Les deuxième et troisième vérités dépendent de la première et de la quatrième. Des quatre nobles vérités, la première et la quatrième sont les plus importantes. La deuxième vérité concerne la nature, la cause et les racines de la souffrance. Quand vous aurez vu cette vérité, le chemin vous sera révélé. Si vous empruntez ce chemin de transformation, vous atteindrez la troisième vérité, c'est-à-dire la transformation, la fin de la souffrance, le bien-être – la première noble vérité étant le mal-être. Est-ce une notion, une idée ou une pratique ?

Au début, nous ne comprenons pas pourquoi nous souffrons. Mais avec le regard profond, nous voyons ce qui a créé notre souffrance. Dès lors, nous savons comment arrêter la souffrance, comment couper les racines à la source de notre souffrance, et la guérison peut avoir lieu. Supposons que votre foie vous fasse souffrir. Vous regardez profondément votre souffrance et vous découvrez que dans le passé vous avez mangé et bu de telle sorte que la souffrance n'a pu être évitée. Ensuite, vous connaissez le chemin : cesser de manger et de boire ces choses et la guérison pourra avoir lieu. Ce ne sont pas de simples notions, ce sont des choses dont vous pouvez faire l'expérience directe. L'expérience directe est l'objet de votre foi.

La pleine conscience est rendue concrète par la pratique des préceptes. Observez les cinq entraînements à la pleine conscience et vous verrez qu'ils sont des descriptions concrètes de la pratique de la pleine conscience. Les cinq entraînements à la pleine conscience commencent tous par « Conscient(e) de... » ou « Conscient(e) de la souffrance causée par... » C'est la pratique de la pleine conscience, du regard profond dans la nature du mal-être. Il y a de la souffrance en vous-même et autour de vous dans la société. Vous pratiquez le regard profond dans la souffrance afin d'en découvrir les causes, les racines. Les cinq entraînements à la pleine conscience ne sont pas seulement des actes de foi mais le véritable chemin de la transformation et de la guérison.

Le chemin concret de l'entraînement

En étudiant les cinq entraînements à la pleine conscience, vous savez que si l'humanité respecte cette pratique, il y aura de la paix, de l'amour, de la sécurité et du bonheur. Que vous soyez bouddhiste ou non, sous savez que si tout le monde respecte la pratique des cinq entraînements à la pleine conscience, la paix, la sécurité et le bonheur deviendront une réalité. Vous savez que les entraînements à la pleine conscience sont tirés des enseignements sur les quatre nobles vérités. Vous voyez la souffrance. Vous savez que vous en avez assez de souffrir. Vous voulez que la guérison puisse avoir lieu.

Le premier entraînement à la pleine conscience

Conscient(e) de la souffrance provoquée par la destruction de la vie, je suis déterminé(e) à développer ma compassion et à apprendre les moyens de protéger la vie des personnes, des animaux, des plantes et des minéraux. Je m'engage à ne pas tuer, à ne pas laisser tuer et à empêcher tout acte meurtrier dans le monde, dans mes pensées ou dans ma façon de vivre.

Vous voyez profondément la nature du mal-être et le chemin pour vous en libérer. En regardant et en pratiquant cet entraînement, vous savez que vous avez la foi. Vous savez que si vous pratiquez selon les cinq entraînements à la pleine conscience, vous obtiendrez la guérison, pour vous-même et pour le monde. Vous avez par conséquent une direction où aller, vous avez la foi, une foi niée de votre vision profonde. La pleine conscience vous aide à avoir la foi. De même la concentration et la vision profonde vous aident à avoir la foi.

Le deuxième entraînement à la pleine conscience

Conscient(e) des souffrances provoquées par l'exploitation, l'injustice sociale, le vol et l'oppression, je suis déterminé(e) à cultiver mon amour et à apprendre à agir pour le bien-être des personnes, des animaux, des plantes et des minéraux. Je m'engage à pratiquer la générosité en partageant mon temps, mon énergie et mes ressources matérielles avec ceux qui sont dans le besoin. Je suis déterminé(e) à ne pas voler et à ne rien posséder qui ne m'appartienne. Je m'engage à respecter la propriété d'autrui et à empêcher quiconque de tirer profit de la souffrance humaine et de toute autre espèce vivante.

C'est aussi une façon de voir profondément la nature du mal-être et le chemin qui conduit au bien-être. Cet entraînement à la pleine conscience devrait être pratiqué non seulement par des individus, mais aussi par des groupes et des nations. Est-ce que votre pays pratique ainsi ? Ou est-ce qu'au nom du développement ou de la croissance, votre pays et vos législateurs violent cet entraînement, en exploitant d'autres nations et en profitant de leur main-d'œuvre et de leurs ressources naturelles ?

Les cinq entraînements à la pleine conscience devraient être pratiqués collectivement si nous voulons donner une chance à l'avenir. C'est pourquoi nous devons pratiquer en tant que Sangha. Une ville est une Sangha, de même qu'un pays. Si vous avez une bonne position à la mairie ou au Parlement, et même si vous n'êtes qu'écrivain ou enseignant, vous savez que vous pouvez prendre cet entraînement ; vous pouvez éduquer les autres – vous pouvez les inviter à pratiquer avec vous, pour qu'un futur soit possible pour tout le monde. C'est cela prendre refuge dans la Sangha. Vous devez bâtir une Sangha dans votre famille, votre ville et votre pays, afin que ces entraînements à la pleine conscience soient pratiqués. Le premier entraînement, par exemple, est le respect de la vie. Vous faites de votre mieux, mais vous devez aussi inviter votre ville et votre pays à pratiquer le respect de la vie.

Le troisième entraînement à la pleine conscience

Conscient(e) de la souffrance provoquée par une conduite sexuelle inappropriée, je suis déterminé(e) à développer mon sens de la responsabilité afin de protéger la sécurité et l'intégrité de chaque individu, des couples, des familles et de la société. Je m'engage à ne pas avoir de rapports sexuels sans amour ni engagement à long terme. Afin de préserver mon propre équilibre et celui des autres, je suis déterminé(e) à respecter mes engagements ainsi que les leurs. Je ferai tout ce qui est en mon pouvoir pour protéger les enfants des sévices sexuels et pour empêcher les couples et les familles de se désunir par suite de comportements sexuels inappropriés.

C'est aussi un entraînement qu'il faudrait pratiquer en tant que familles, villes et nations. Nous savons que nous avons en nous des graines d'intégrité, de compassion et de respect. Le véritable amour doit être fait de respect et de révérence. Le genre d'amour qui vous détruit, vous et les autres, sans aucun respect, n'est pas l'amour véritable. Une mauvaise conduite sexuelle détruit ce genre de respect pour soi-même et pour l'autre.

L'industrie du sexe est quelque chose de très honteux pour notre société. La production de sons et d'images qui arrosent les pires graines en nous est une honte pour notre civilisation. Les cinéastes ne nous aident pas beaucoup à arroser les belles graines en nous. Il y a toutes sortes de produits qui arrosent jour et nuit les pires graines en nous. Nous nous exposons et nous exposons nos enfants à cet arrosage négatif, tout cela parce que certains cinéastes veulent gagner beaucoup d'argent. Ils polluent notre conscience et la conscience de nos enfants. Nous essayons bien de les en empêcher, mais ils revendiquent leur liberté d'expression. Or il ne s'agit pas de liberté, mais d'un manque de responsabilité.

Au Village des Pruniers, que ce soit pour un séjour d'un mois ou de trois ans, vous êtes protégé contre ces programmes. Nous savons qu'il est néfaste de s'exposer à des émissions de télévision ou de radio qui contiennent des toxines. Nous voulons seulement ouvrir nos cœurs à la pluie du Dharma, pour arroser les graines de joie, d'espoir et de paix qui sont en nous et aider le travail de transformation et de guérison. À l'inverse, nous savons qu'en nous exposant à l'arrosage négatif de graines inutiles en nous, elles vont continuer d'être malades et de s'agiter. C'est une véritable prise de refuge.

Prendre refuge, c'est créer un environnement où l'on se sent en sécurité, à l'abri d'une agression ou d'une attaque. Nous savons que nos enfants sont très vulnérables. Ils sont assaillis de toutes parts par ce genre d'arrosage. En tant que conseiller municipal, membre du gouvernement, écrivain, cinéaste, enseignant ou éducateur, pouvez-vous faire quelque chose pour vous protéger, vous et vos enfants ? Prendre les cinq entraînements à la pleine conscience et protéger notre société peut être source d'une très grande joie.

Le quatrième entraînement à la pleine conscience

Conscient(e) de la souffrance causée par des paroles irréfléchies et par l'incapacité d'écouter autrui, je suis déterminé(e) à parler à tous avec amour afin de les soulager de leurs peines et de leur transmettre joie et bonheur. Sachant que les paroles peuvent être source de bonheur comme de souffrance, je suis déterminé(e) à parler avec sincérité, en employant des mots qui inspirent à chacun la confiance en soi, la joie et l'espoir. Je m'engage à ne répandre aucune information dont l'authenticité ne serait pas établie et à ne pas critiquer ni condamner ce dont je ne suis pas certain. Je m'abstiendrai de prononcer des mots susceptibles d'entraîner division ou discorde, une rupture au sein de la famille ou de la communauté. Je m'engage à fournir les efforts nécessaires à la réconciliation et à la résolution de tous les conflits, aussi petits soient-ils.

« Conscient(e) de la souffrance causée par des paroles irréfléchies... » Pour trouver une issue, il s'agit à nouveau de pratiquer la pleine conscience et le regard profond dans la nature de la souffrance. La parole aimante et l'écoute profonde sont le chemin, la quatrième noble vérité. Quand vous affirmez : « Je crois qu'en regardant profondément dans la nature de la souffrance, je saurai reconnaître le chemin pour m'en libérer », vous accomplissez une pratique très réelle et très concrète.

Les cinq entraînements à la pleine conscience sont la vision profonde collective d'un grand nombre de bouddhistes qui ont pratiqué la pleine conscience. Nous savons que beaucoup de familles et de couples sont aujourd'hui séparés parce qu'ils n'ont pas su pratiquer la parole juste et aimante et l'écoute profonde. Nous devrions pratiquer cet entraînement et l'encourager dans notre famille, notre ville et notre pays. Peut-être irez-vous un jour suivre un débat au Parlement pour voir comment les députés font usage de leur temps de parole. Sont-ils capables de s'écouter les uns les autres ? Sont-ils capables de transmettre ce qu'ils ont compris aux autres, ou sont-ils des îles totalement séparées ? Peut-être ne cherchent-ils qu'à se battre pour leurs idées préconçues, sans aucune intention d'écouter et d'apprendre des autres.

Les Parlements sont des lieux où le quatrième entraînement à la pleine conscience a le plus besoin d'être pratiqué. Les parlementaires sont l'élite du pays, ils ont été élus pour représenter la population de leur pays. S'ils ne sont pas capables de s'écouter les uns les autres et de communiquer entre eux, quel avenir sera possible pour le pays ? Comment les gens du peuple pourront-ils être compris par le gouvernement ? Nous vivons à une époque où les cinq entraînements à la pleine conscience devraient être pratiqués collectivement au niveau national.

Le cinquième entraînement à la pleine conscience

Conscient(e) de la souffrance provoquée par une consommation irréfléchie, je suis déterminé(e) à entretenir une bonne santé physique et mentale par la pratique de la pleine conscience lorsque je mange, bois ou consomme ; ceci pour mon propre bénéfice, celui de ma famille et de la société. Je suis déterminé(e) à consommer des produits qui entretiennent la joie, le bien-être et la paix, tant dans mon corps et dans mon esprit que dans le corps et la conscience collective de ma famille et de la société. Je suis déterminé(e) à éviter de faire usage d'alcool et d'autres formes de drogue et à ne prendre aucun aliment ou produit contenant des toxines (comme certaines émissions de télévision, magazines, livres, films ou conversations). Je suis conscient(e) qu'en nuisant à mon corps et à mon esprit avec ces poisons, je trahis mes parents, mes ancêtres, la société et les générations futures. Par la pratique d'une consommation raisonnable, je m'engage à transformer la violence, la peur, la colère et la confusion qui sont en moi et dans la société. Je réalise qu'une discipline alimentaire et morale appropriée est indispensable pour ma propre transformation et celle de la société.

Cette pratique absolument cruciale est l'espoir pour notre avenir. Mais si nous n'arrivons pas à pratiquer en tant que ville ou pays, nous ne pourrons pas transformer la situation. Les cinq entraînements à la pleine conscience sont une expression concrète de la pratique de la pleine conscience, et cette pleine conscience est le fruit de notre foi, de notre vision profonde, de notre concentration et de notre constance dans la pratique. Si nous ne pratiquons pas le regard profond, nous serons incapables de comprendre la nature de notre souffrance et d'identifier le chemin dont nous avons besoin. Le Bouddha n'a cessé de nous rappeler que rien ne peut survivre sans nourriture, c'est vrai aussi de notre mal-être. Si nous savons comment couper la source qui a nourri notre mal-être, il disparaîtra. Un régime approprié, voilà ce dont nous avons vraiment besoin, pour nous-mêmes et notre société.

Nous avons vu que la deuxième des cinq facultés est la constance dans la pratique, c'est-à-dire la pratique quotidienne. Votre foi vous a donné de la vitalité. Et de par cette vitalité, il y a un désir en vous, le désir le plus profond, la *bodhicitta*, et c'est ce qui vous rend si concentré dans votre pratique – marcher, s'asseoir, regarder, écouter et appliquer les entraînements à la pleine conscience dans votre vie quotidienne. Ce faisant, vous améliorez votre qualité de vie, vous vous transformez vous-même, vous vous guérissez et vous aidez la société à avancer sur le chemin de la guérison, de la compassion et de l'amour.

Le refuge chrétien

Lorsqu'on examine le symbole des Apôtres ou le symbole de Nicée, on peut trouver des enseignements équivalents dans le christianisme. Mais il ne faut jamais perdre de vue qu'il y a un danger réel de devenir prisonnier des mots. L'objet de notre foi n'est peut-être que des notions et des concepts et non la véritable pratique, l'expérience directe. Après ce discours sur le Dharma, nos amis chrétiens auront peut-être envie de redécouvrir le Credo :

Je crois en Dieu, le Père tout-puissant,
créateur du Ciel et de la terre.
Et en Jésus-Christ, son Fils unique, notre Seigneur,
Il a été conçu par le pouvoir du Saint-Esprit,
et né de la Vierge Marie.
Il a souffert sous Ponce Pilate,
Il a été crucifié, est mort et a été enseveli.
Il est descendu au royaume des morts.
Le troisième jour est ressuscité.
Il est monté au ciel,
et est assis à la droite du Père.
Il reviendra pour juger les vivants et les morts.

Je crois en l'Esprit Saint,
à la sainte Église catholique,
à la communion des saints,
à la rémission des péchés,
à la résurrection de la chair,
à la vie éternelle. Amen.

Le symbole de Nicée dit : « Je crois en un seul Dieu, le Père tout-puissant, créateur du Ciel et de la terre, de l'univers visible et invisible. » Il y a dans cette affirmation le désir de rentrer chez soi, la dimension ultime.

En ces journées de célébration de Noël, il me semble intéressant et même utile de réfléchir à ces professions de foi.

Je crois en Dieu, le père tout-puissant, créateur du Ciel et de la terre. C'est l'équivalent de la dimension ultime de la réalité, le nirvâna. Précédemment, nous avons parlé des vagues et de l'eau. Étant donné que nous sommes des débutants dans notre vie spirituelle, nous devons essayer de toucher l'autre dimension de notre être, la dimension ultime. La vague a besoin de toucher l'eau pour que sa peur puisse disparaître et qu'elle puisse dépasser toutes ses notions et ses concepts. C'est une pratique très importante. Le but ultime de notre pratique est d'atteindre le nirvâna, de toucher le nirvâna, et c'est ce qui nous apportera le plus grand soulagement.

Je crois en Jésus-Christ, son Fils unique, notre Seigneur. Dans la tradition du bouddhisme, le Bouddha n'est pas unique parce qu'il y a quantité d'autres bouddhas, d'innombrables bouddhas du passé, du présent et du futur. Mais tous ces bouddhas ont en eux l'éveil suprême, la compassion suprême. Nous sommes aussi de futurs bouddhas, et nous avons tous en nous la nature de Bouddha. Nous sommes des vagues, mais l'eau est aussi en nous. Tout en vivant notre dimension historique, nous avons aussi la dimension ultime en nous. C'est pourquoi la notion d'*unique* ne peut s'appliquer. C'est une différence. Ce qui ne veut pas dire que dans le christianisme cet enseignement soit quelque chose d'étranger. Pour beaucoup de nos amis catholiques, protestants et orthodoxes, Dieu le Père n'est pas quelque part dans l'espace mais dans nos cœurs. La question est de savoir comment le toucher, Lui ou la dimension ultime. Les sacrements du baptême, de la confirmation ou de l'Eucharistie sont juste des moyens pour nous aider à toucher cette dimension ultime et reconnaître qu'elle est là. Je vous invite à réfléchir sur le mot « unique ». *Vous* êtes aussi une fille ou un fils de Dieu. Vous êtes Jésus. Nous sommes tous Jésus. Chaque vague est née de l'eau. Chaque vague a l'eau comme substance. Chaque vague porte en elle la dimension de l'eau.

Dans le bouddhisme, et particulièrement dans l'école du Nord, nous avons tous la nature de Bouddha et nous sommes tous un futur Bouddha. Dire que vous êtes un Bouddha en devenir, c'est parler en termes de dimension historique. Mais du point de vue de la dimension ultime, vous êtes déjà un Bouddha. La vague est déjà l'eau.

Le corps de Dharma de Jésus

Dans la tradition bouddhiste, que le Bouddha soit né à Kapilavastu ou ailleurs n'est pas très important, pas plus qu'il soit le fils de Suddhodana et de Mahayama ou qu'il soit né du flanc de sa mère ou de la manière habituelle. Qu'après sa naissance, il ait fait sept pas et que des lotus aient éclos sous ses pas n'est pas important non plus. Ce qui compte, c'est que le Bouddha ait offert un enseignement très concret sur la souffrance et le chemin pour s'en libérer, un chemin que nous pouvons tous expérimenter. À travers cet enseignement et cette pratique, vous touchez le Bouddha Shakyamuni en tant que réalité, et non plus en tant que simple concept.

Beaucoup de nos amis catholiques, protestants et orthodoxes ont l'intention de redécouvrir Jésus en tant que maître et d'apprendre le Dharma auprès de lui. C'est le vrai Jésus, pas simplement le nom ou le concept mais la réalité vivante.

Nous voulons découvrir le Dharmakaya de Jésus. *Kaya* signifie corps. Plus qu'à son corps de chair nous nous intéressons à son corps qui est fait de l'Esprit Saint. Ce qui nous importe le plus, c'est de connaître son corps d'enseignement, parce que c'est ce que nous attendons d'un maître. Un maître a un enseignement à offrir et nous savons que si nous ne pouvons pas accéder à son enseignement, nous n'aurons pas le maître. L'enseignement de Jésus-Christ, la voie qu'il a proposée pour nous libérer de notre souffrance, est appelé le corps d'enseignement, le Dharmakaya. Le corps de Dharma est l'enseignement.

En ce qui concerne le Bouddha Shakyamuni, nous savons que son corps de Dharma est accessible. Si nous sommes ici aujourd'hui, c'est pour toucher le corps de Dharma du Bouddha. Les cinq facultés, les cinq entraînements à la pleine conscience, la première vérité et la quatrième vérité font partie du Dharmakaya du Bouddha en tant que maître. Nous prenons refuge dans le Dharma parce que nous avons besoin du Dharma, pour nous délivrer de notre situation actuelle de souffrance. C'est pourquoi nous avons tant besoin du Fils en tant qu'enseignant, et encore plus de son enseignement.

Dans les Évangiles, l'enseignement de Jésus est très clair mais d'un point de vue théologique il n'est pas toujours considéré comme crucial. Nous voulons le Dharma de Jésus – ce serait bien de trouver un mot pour exprimer cela. *Je crois en l'Esprit Saint, à la Sainte Église catholique.* Comment l'Esprit Saint peut-il s'établir dans votre vie quotidienne ? Jésus-Christ a proposé et offert la pratique. Je ne pense pas qu'il suffise de dire : « Je crois en l'Esprit Saint. » Ce n'est pas rendre justice à l'enseignement de Jésus-Christ.

Si l'on conçoit l'Esprit Saint comme une sorte d'énergie qui nous aide à être vivants et protégés, à comprendre et à aimer, alors l'Esprit Saint devrait être présenté de manière concrète, avec des pratiques concrètes comme nous en trouvons dans les cinq entraînements à la pleine conscience. C'est quelque chose que nous pouvons faire, de même que nos amis de confession chrétienne. Là où il y a l'Esprit Saint, il y a une vraie présence, une vraie compréhension, une vraie communication et un vrai amour. Là où les cinq entraînements à la pleine conscience sont pratiqués, ces qualités sont aussi présentes.

Aider le Bouddha et le Christ

Dans la tradition bouddhiste, il y a la Sangha qui incarne le Bouddha et le Dharma. Si dans la Sangha il n'y a ni le vrai Bouddha ni le vrai Dharma, alors ce n'est pas une vraie Sangha. S'il n'y a pas d'harmonie, pas de pratique des entraînements à la pleine conscience, pas de compassion, de vision profonde et de bonheur, ce n'est pas une vraie Sangha, même si elle est constituée de moines, de moniales et de laïcs. Cela peut avoir la forme d'une Sangha, mais le contenu n'est pas une Sangha parce qu'on n'y trouve ni le Bouddha ni le Dharma. La même chose est vraie pour l'Église chrétienne. S'il n'y pas le Père, le Fils et l'Esprit Saint dans l'Église, ce n'est pas la vraie Église. L'Église doit incarner l'Esprit Saint, le Père et le Fils. Elle doit incarner la tolérance, la compréhension, la compassion, et c'est la pratique qui consiste à bâtir des Sanghas.

Si dans la tradition bouddhiste chacun d'entre nous a la tâche de bâtir des Sanghas, alors dans les Églises catholique, protestante et orthodoxe tout le monde a le devoir de bâtir des Églises. Ce n'est pas seulement une question d'organisation. Bâtir l'Église, c'est mener sa vie de telle sorte que l'Église devienne de plus en plus tolérante, pleine de compréhension et de compassion, afin que chaque fois que des gens se rendent à l'église ils puissent toucher l'Esprit Saint. C'est une invitation qui nous concerne tous, parce que c'est notre pratique en tant que bouddhistes et non-bouddhistes ; cela peut s'appliquer à toutes les traditions spirituelles.

La rencontre interreligieuse peut aider à renouveler chaque tradition. Et c'est ce que nous espérons pour le vingt et unième siècle. Nous savons que la paix ne sera pas possible tant que des religions seront en conflit les unes avec les autres. Si nous voulons mettre un terme aux conflits interreligieux, il faut que le dialogue entre les différentes traditions se fasse dans une attitude d'ouverture. Nous savons que les religions ont causé de nombreuses guerres depuis des siècles.

Souvenez-vous que l'Église a été responsable de tant de souffrance, de tant de guerres. C'est notre tâche de bâtir une Sangha, de bâtir une Église de telle sorte que l'Esprit Saint, la pleine conscience puissent prévaloir, pour que la tolérance et la compassion soient possibles. C'est votre pratique pour la paix et l'avenir de nos enfants et de nos petits-enfants.

Pratiquons la respiration consciente avec le son de la cloche.

CINQUIÈME PARTIE

LE SENS DE L'AMOUR [1]

Nous allons poursuivre sur le thème de la foi et de l'amour. Nous avons l'habitude de dire que Dieu est amour et que nous devons l'aimer de toute notre force. Il est dit par ailleurs dans les Évangiles que si vous ne savez pas aimer votre prochain, vous n'aimez pas Dieu.

Ce sont deux choses à considérer si nous voulons vraiment comprendre le sens de l'amour. L'autre jour, nous avons parlé du Père comme étant l'essence de l'être, la dimension ultime de la réalité, de la vie. Il est très important de réexaminer le sens réel de ces mots, sinon cela n'a aucun sens.

Nous savons que la dimension ultime et la dimension historique sont deux dimensions d'une même réalité, mais ce qui pose vraiment problème, c'est la relation entre les deux dimensions. Nous savons qu'il y a une relation entre les différentes vagues que nous voyons à la surface de l'océan. En

1. Enseignement donné le 29 décembre 1996 au hameau d'en haut du Village des Pruniers.

contemplant toutes les vagues de l'océan, vous verrez peut-être qu'une vague est née à cause des autres vagues, et, en y regardant de plus près, vous verrez toutes les autres vagues dans cette vague. C'est vrai pour tout ce qui est dans le monde. En regardant une fleur, nous savons que cette fleur est faite de tous les éléments non-fleur, comme le nuage, le soleil, la Terre, etc. Nous voyons le tout dans l'un, et l'un dans le multiple. Vous voyez la relation entre les choses, entre les phénomènes. Toutes les vagues ont une relation entre elles. Elles se façonnent mutuellement.

Mais en même temps, nous savons qu'à part ce genre de relation entre les phénomènes, il y a un autre type de relation : la relation entre la vague et l'eau. C'est la dimension de l'eau, chaque vague étant l'eau. Quand nous parlons de cette dimension ultime, nous devons être conscients que notre relation avec la dimension ultime est différente de celle que nous avons avec les événements phénoménaux autour de nous. C'est pourquoi nous savons dans le bouddhisme qu'il est nécessaire d'aborder la dimension ultime autrement. Dans ce monde, on ne parle pas en termes de vagues mais de phénomènes. De même, on ne parle pas d'eau mais de dimension ultime ou de noumènes.

Il y a forcément une relation entre l'eau et les vagues. Il y a la nature *(svabhava)* et l'apparence *(laksana)*. Les vagues sont l'eau, elles sont en quelque sorte nées de l'eau. D'où la métaphore selon laquelle les vagues sont les fils et les filles de l'eau. L'eau est le père des vagues. L'eau est la mère des vagues. C'est une relation causale. Mais ce genre de relation est assez différent de la relation qui existe entre les phénomènes. En étudiant l'aspect phénoménal d'une vague, nous voyons tous les éléments qui l'ont rendue possible. Regardez une personne : cette personne est ainsi parce que son père et sa mère, ses enseignants, la société, le système économique et la culture dans lesquelles elle a grandi sont ainsi. Tous ces éléments déterminent la forme, la nature, la valeur, le bonheur et la beauté des phénomènes appelés vagues.

Les cordons ombilicaux

Cette vague a un père, une mère, des frères, des sœurs et des amis. Dans le langage bouddhiste, nous disons qu'en regardant autour de nous, nous ne voyons rien ni personne qui ne soit pas notre père ou notre mère. Un caillou est aussi votre mère, un nuage est aussi votre père. Un écureuil est aussi votre père, une biche est aussi votre mère. C'est vrai parce qu'il y a un cordon ombilical qui nous relie à tous les phénomènes qui nous entourent. Il y a un cordon ombilical qui nous relie au nuage. Le nuage est vraiment une mère. Le fait de couper le cordon rendrait impossible toute relation ou tout contact avec le nuage. Dans ce cas nous ne pourrions pas survivre, car nous savons que nous sommes faits de soixante-dix pour cent d'eau. Il est donc vrai que le nuage est notre mère et que le feu est notre père. On peut parler de toutes les choses comme de notre père et de notre mère. Le Bouddha a dit : « Les êtres vivants sont des pères et des mères les uns pour les autres. » On ne peut comprendre cette parole qu'en regardant les choses ainsi.

Mais lorsqu'on va dans l'autre dimension, la dimension ultime, la dimension des noumènes, il faut être très prudent. Dans cette dimension, l'eau ne peut être confondue avec toutes les vagues. Il y a une relation causale, mais cette relation est différente. C'est pourquoi l'eau ne doit pas être considérée de la même façon que les vagues ou au même niveau. C'est ce qu'on appelle dans la tradition bouddhiste « l'investigation séparée des noumènes et des phénomènes ». Cette conscience est très claire.

Quand vous utilisez un mot pour décrire quelque chose dans une dimension, cela ne veut pas dire exactement la même chose dans l'autre dimension. Parler du père dans la dimension historique ou en termes de phénomènes ou de vague, c'est autre chose que parler du *Père* dans la dimension ultime, le royaume de l'eau, ou dans « Notre père qui es aux cieux ». Il faut le comprendre tout à fait autrement. C'est un autre langage.

Dans le bouddhisme il y a le mot *nirvâna.* C'est un genre de Père. Le nirvâna est une réalité dont on ne peut rendre compte par des notions ou des mots. Nirvâna signifie littéralement « extinction », dans le sens d'extinction des notions et des concepts, des idées et des mots – même du mot nirvâna, même du mot Père. Par conséquent, quel que soit le mot employé pour désigner la dimension nouménale, il faut être très prudent. Ne vous laissez pas enfermer par les mots. Aussi quand vous dites :

« Aimons Dieu notre Père de notre mieux », quand vous essayez de pratiquer profondément, vous devez savoir que ce genre de langage ne peut être compris exactement comme le langage dans le monde de la dimension historique. Parlez-vous d'aimer le nirvâna ? Le nirvâna a-t-il besoin de votre amour ? Quand nous disons que Dieu est amour, cet amour pour Dieu est-il de la même nature que le genre d'amour cultivé ici-bas dans la dimension historique ?

De personne à personne

Bien sûr, chaque vague fait partie de toutes les autres vagues. Chaque être vivant est relié à tous les autres êtres vivants. Jésus est une vague, comme vous et moi, comme le Bouddha, parce que vous pouvez le toucher en tant que vague dans la dimension historique. On peut le considérer d'abord comme un maître, un être humain et le Fils de l'Homme. En même temps, il est le Fils de Dieu.

Mais examinons-le maintenant en tant que fils de l'Homme. Il possède alors les cinq éléments : la forme, les sensations, les perceptions, les formations mentales et la conscience. Nous pouvons le toucher en tant que vague, en tant qu'être humain et il y a une relation entre nous et lui. Je connais un prêtre catholique qui a dit que Jésus est notre frère. Alors qu'il célébrait l'Eucharistie en ma présence, il a invoqué Jésus en disant « notre frère ». Cela signifie que dans la dimension historique nous sommes des frères et des sœurs les uns pour les autres. Nous sommes des pères et des mères les uns pour les autres parce que nous sommes tous des fils et des filles de l'Humanité. La relation que nous avons avec Jésus est donc une relation de personne à personne.

Cette personne est quelqu'un d'extraordinaire : il est un maître qui porte la Voie en lui : « Je suis la Voie. » Et la Voie est le Tao. La Voie est le Dharma.

Le Dharma est profond et merveilleux. Du fait que la Voie et le Dharma sont en Jésus, il est notre maître. Il est devenu notre maître. Jésus est notre Seigneur parce qu'il incarne la Voie, il incarne le Dharma. Il y a de l'amour entre nous deux. « Jésus m'aime, je le sais. » Nous le savons parce que Jésus est avant tout le fils de l'Homme, un être vivant. Il est fait des cinq éléments et nous pouvons voir la nature de l'amour qui existe entre nous. Aimez votre maître, aimez vos disciples. C'est ce que nous pratiquons chaque jour. En tant que maître, nous pratiquons l'amour envers nos disciples, et nous pratiquons en tant que disciples, en aimant notre maître. C'est la raison pour laquelle nous offrons une tasse de thé à notre maître, nous nous soucions de sa santé et de savoir s'il a pris son petit déjeuner et bien dormi. Nous nous soucions de son bien-être et lui souhaitons de ne pas avoir trop de problèmes ou de disciples difficiles.

Nous connaissons la nature de notre amour. Aimer Jésus est quelque chose que nous pouvons expérimenter. Nous avons besoin de notre maître, nous avons besoin de nos disciples, et leur présence nous rend heureux. Cet amour est tangible, palpable et concevable.

Aimer le nirvâna

Mais quand vous dites : « J'aime Dieu », il s'agit ici de Dieu le Père, notre dimension ultime. Nous savons que le genre d'amour que nous adressons à notre Père, notre Père céleste, ne peut être de la même nature. Quand vous dites : « J'aime le Bouddha », c'est facile à comprendre parce que le Bouddha est mon maître et qu'il a fait de son mieux pour nous transmettre son enseignement et sa sagesse. Il avait parfois besoin d'Ananda pour lui masser les pieds ou de Sariputra pour s'occuper de la Sangha ou des disciples difficiles, et il lui arrivait de tomber malade. C'est pourquoi notre amour pour le Bouddha est l'amour d'un disciple pour son maître.

Mais ce n'est pas la même chose de dire qu'il faut aimer le nirvâna. Il m'est très difficile d'aimer le nirvâna comme j'aime le Bouddha ou je vous aime. Il faut donc comprendre le sens véritable d'aimer Dieu ou d'aimer le nirvâna. Nous devons méditer ensemble pour nous libérer des mots et des notions dont nous sommes prisonniers.

Dans la tradition bouddhiste, on parle des différents corps du Bouddha. Cela va peut-être nous aider à comprendre la Trinité. Le Bouddha avait son *nirmanakaya* – le corps de transformation –, et c'est avec ce corps que nous vivons notre vie quotidienne. Nous nous inclinons devant le corps manifesté ou transformé du Bouddha. On dit qu'il se manifeste parfois sous la forme d'un enfant, d'une femme, d'un homme d'affaires ou d'un politicien. Nous devons faire preuve d'un minimum d'intelligence et de vigilance pour reconnaître sa présence lorsqu'il se manifeste.

Ce n'est pas si difficile. Chaque fois qu'il y a de la pleine conscience, une vraie présence, de la compassion et de la compréhension, le Bouddha est là. Ne vous fiez pas aux apparences. Vous pouvez très bien vous retrouver devant un vrai Bouddha sans le savoir, et faire tout un périple pour aller dans un temple situé à l'autre bout du monde. Vous espérez y trouver le Bouddha, mais en réalité vous tournez le dos au vrai Bouddha. Vous courez après quelque chose qui n'est pas le Bouddha. C'est peut-être un Bouddha en bronze ou en cuivre, mais certainement pas le vrai Bouddha vivant.

Un autre corps du Bouddha nous est recommandé. Alors que le Bouddha était sur le point de mourir, il a invité ses disciples à toucher son corps de Dharma. Il dit : « Ce corps-ci vous manquera peut-être alors qu'il n'est pas aussi important que mon autre corps : le corps d'enseignement d'un Bouddha, le *Dharmakaya.* » Pour nous, il n'est pas trop difficile de toucher le corps de Dharma du Bouddha, car en plus de son corps physique il a son corps de Dharma. J'ai aussi mon corps de Dharma, et vous aussi. Il grandit et se révèle avec votre pratique. Ainsi, en plus de votre corps physique, vous avez un corps de Dharma.

Le Bouddha a recommandé à ses disciples de

prendre refuge dans son corps de Dharma après sa mort, c'est-à-dire le corps des enseignements transmis à la communauté de moines et de moniales et au monde. Le Bouddha a dit : « Mon corps physique n'est pas très important. Il m'a été utile mais je vous ai aussi offert mon corps de Dharma, qui est bien plus important. Essayez de maintenir ce corps de Dharma vivant pour votre bonheur. » Nous savons donc que le Bouddha possède différents corps. Par la suite, l'expression corps de Dharma a pris un sens plus profond : l'essence de l'être, l'*ainsité (tathata)* ou la réalité telle qu'elle est *(buddhatathata)*.

Avec le regard profond, nous voyons qu'il y a des différences entre notre amour pour le Bouddha et notre amour pour son corps de Dharma. Vous aimez le Bouddha, c'est un fait, mais vous aimez aussi le Dharma. Votre amour pour le Dharma est différent. Le Dharma n'a pas besoin d'un massage, le Dharma n'a pas besoin d'un bol de soupe, parce que le Dharma ne tombe jamais malade. Mais vous savez que vous avez besoin du Dharma, vous avez foi en le Dharma, vous aimez le Dharma. Votre amour pour le Dharma est réel, vous aimez vraiment le Dharma, mais ce n'est pas le même amour.

Revenons maintenant à la vague. Les vagues sont censées s'aimer les unes les autres parce qu'elles ne sont pas des ennemies, parce qu'elles dépendent les unes des autres. Par conséquent, lorsqu'une vague voit la nature interdépendante des vagues, elle constate qu'elle ne fait qu'une avec les autres. C'est une relation de vague à vague, qui devient de plus en plus étroite avec le regard profond. Cette relation intervagues est liée à la relation entre les vagues et l'eau. Lorsqu'une vague établit un lien avec une autre vague, elle prend conscience du lien qui existe entre elle et l'eau et découvre une relation très intime, car la vague est toujours l'eau. La vague n'a pas besoin de mourir pour devenir l'eau ; elle est l'eau, ici et maintenant.

De même, le Royaume de Dieu n'est pas situé dans l'espace et le temps. Vous n'avez pas besoin de mourir pour entrer dans le Royaume de Dieu ; vous y êtes déjà, ici et maintenant. Seulement vous l'ignorez.

On dit parfois que Dieu est dans notre cœur, que son Royaume est dans notre cœur. C'est très juste, mais tant que nous n'en faisons pas l'expérience réelle cela ne nous rend pas nécessairement heureux. La vague a beau savoir qu'elle est faite d'eau, elle est parfois si attachée à sa souffrance et à ses difficultés avec les autres vagues qu'elle n'est pas toujours capable de voir sa relation intime avec l'eau, alors même que l'eau est l'essence de toutes les vagues.

Que signifie « aimer Dieu de toutes ses forces » ? Cela veut dire que dans votre vie quotidienne vous devez chercher à toucher l'autre dimension de votre réalité, la dimension ultime, la dimension de Dieu, la dimension de l'eau. Ce serait vraiment dommage de passer tout son temps à lutter dans le monde phénoménal sans pouvoir revenir en soi-même pour toucher la dimension la plus profonde de l'être !

En recevant le baptême ou en prenant les trois refuges, vous avez une occasion de naître en tant qu'enfant spirituel de votre tradition. C'est une manière de vous stimuler, de vous réveiller et de prendre conscience que vous avez un besoin très profond de grandir spirituellement.

Prenons un exemple. Vous voulez faire vos études dans une université prestigieuse. Comme vous avez répondu à tous les critères d'admission, vous obtenez une carte d'étudiant, ce qui vous donne accès à la bibliothèque, aux salles de cours, etc. Mais ce n'est pas tout, car si vous êtes à l'université, c'est pour étudier. Après avoir reçu les trois refuges ou le baptême, vous savez que vous devez continuer en tant qu'enfant de votre tradition, et pour grandir vous devez pratiquer. Dans la tradition bouddhiste, vous venez dans un centre de pratique et vous apprenez à marcher et à pratiquer la marche méditative. Vous marchez de manière à pouvoir toucher le Royaume de Dieu chaque fois que vous touchez la Terre. Vous marchez de telle sorte qu'à chaque pas vous touchez le nirvâna, le Dharma et la profondeur de votre être. Quand vous mangez, vous mangez de telle façon que vous touchez le cosmos tout entier.

Jésus a enseigné à ses disciples comment manger lors de la Cène. Manger de manière à toucher le corps de Dieu, le corps du cosmos. Quand nous prenons notre petit déjeuner au Village des Pruniers, nous mangeons notre pain et notre muesli de telle façon que nous sommes en contact avec le cosmos, le nirvâna – l'eau. C'est quelque chose que vous pouvez faire tous les jours, et pas seulement pendant l'heure de méditation assise ou la demi-heure de chant. La Sangha est là pour vous aider. Vous pouvez savourer le bonheur d'être au Royaume de Dieu vingt-quatre heures sur vingt-quatre. Vous étudiez à plein temps dans cette université et vous avez accès à la bibliothèque, aux livres et aux enseignants. De même, dans un centre de pratique, vous devez pratiquer à plein temps, non seulement pendant l'assise ou la marche mais aussi en faisant la vaisselle ou en préparant le thé.

C'est ce que veut vraiment dire « aimer Dieu de toutes ses forces ». Vous consacrez plus que quelques minutes ou quelques heures par jour à l'objet de votre amour. Vous vous consacrez vingt-quatre heures sur vingt-quatre à toucher l'amour de Dieu, la dimension ultime qui est profondément en vous. Vous ne pourrez aimer Dieu de toutes vos forces qu'en étant un étudiant ou un pratiquant à plein temps.

Il y a un autre aspect de l'enseignement : ce n'est pas en abandonnant tous les phénomènes que vous pourrez toucher la dimension des noumènes. Si vous rejetez la dimension historique, il n'y aura pas de dimension ultime à toucher. Vous devez toucher Dieu à travers ses créatures. Vous devez toucher la dimension ultime en touchant profondément la dimension historique. Juste avant de marcher sur une feuille morte, vous savez que vous pouvez toucher la dimension ultime. Vous pouvez toucher la nature de non-naissance et de non-mort de cette feuille.

Si vous vivez votre vie d'une manière superficielle, vous serez probablement tenté de croire que cette feuille appartient au monde de la naissance et de la mort. Cette feuille est née au mois de mars et elle est tombée par terre au mois d'octobre. Et maintenant que nous sommes en décembre, vous marchez dessus. Si vous n'êtes pas vraiment là, si vous ne vivez pas profondément votre pratique, si vous n'êtes pas un étudiant à temps plein, vous marcherez seulement sur la feuille de la naissance et de la mort. Mais si vous vivez en profondeur, vous toucherez la nature du monde de la non-naissance et de la non-mort, parce que la naissance et la mort ne sont que des apparences extérieures.

Si vous touchez la feuille profondément, vous verrez qu'elle vous sourit : « Ne crois pas que je suis morte, je reviendrai sous la forme d'une feuille en avril prochain. Reviens me voir quand je serai à nouveau toute verte. »

Vous avez en vous-même la nature de la non-naissance et de la non-mort. Et quand vous aurez touché votre nature, votre vraie nature, toutes vos peurs disparaîtront. Sachez que le plus grand soulagement que l'on puisse obtenir est la non-peur *(abhaya)*, et que ce plus grand soulagement peut être obtenu en touchant le nirvâna, l'ultime, le Père.

Comment peut-on toucher le nirvâna ? Vous touchez juste ce qui est là, dans le monde des phénomènes. En touchant une vague profondément, vous touchez toutes les vagues, parce que la nature des vagues est la nature de l'interêtre, si bien qu'il suffit d'en toucher une pour toutes les toucher. Quand vous mâchez un morceau de pain, vous avez la vie éternelle parce que le morceau de pain est tout votre corps et le corps du cosmos tout entier. La qualité de l'acte de manger, de toucher ou de marcher dépend de votre concentration, de votre présence ici et maintenant dans la pratique.

Pour toucher la dimension ultime, vous n'avez pas besoin de quitter la dimension historique. La relation entre la vague et l'eau est aussi liée à la relation entre deux vagues. C'est pourquoi vous comprenez les Évangiles. Pour pouvoir aimer Dieu, vous devez commencer par aimer votre prochain. Avant de placer une offrande sur l'autel de Dieu, vous devez vous réconcilier avec vos prochains, parce que se réconcilier avec ses prochains c'est se réconcilier avec Dieu. Cela signifie que vous ne pouvez toucher Dieu qu'à travers ses créatures. Vous ne pourrez pas comprendre ce qu'est l'amour, l'amour de Dieu, tant que vous n'aurez pas pratiqué l'amour de l'humanité.

De même, vous ne pourrez pas toucher le monde de la non-naissance et de la non-mort tant que vous n'aurez pas appris à toucher le monde de la naissance et de la mort. C'est le message de la feuille et de tout ce qui vous entoure. En touchant profondément la feuille, une vague ou une personne, vous touchez la nature interdépendante de tout ce qui est. Vous touchez la nature de l'impermanence, du non-soi ou de l'interêtre. En touchant la nature de l'interêtre, du non-soi, vous touchez l'ultime, vous touchez Dieu et le nirvâna. Nous faisons une distinction entre la dimension ultime et la dimension historique, mais en réalité ces deux dimensions ne font qu'une. C'est une autre illusion dont nous devons nous défaire.

La souffrance essentielle

Nous sommes tous tentés d'aller dans un lieu où il n'y aurait pas de souffrance, seulement de la paix et du bonheur. Pour vous, ce lieu est peut-être le Royaume du Paradis ou la Terre pure. Nous avons tendance à croire qu'il y a un lieu où nous pourrons laisser derrière nous ce monde plein de souffrance, de confusion et d'afflictions. Les principales afflictions sont la colère, la haine, le désespoir, la tristesse et la peur. Quand vous souffrez beaucoup, la tentation de vouloir tout laisser derrière devient très forte. « Je ne veux plus vivre, je veux en finir. Arrêtez le monde, je veux m'en aller. »

Regardez profondément les choses et vous verrez qu'on ne peut séparer le bonheur et le bien-être de la souffrance et du mal-être. C'est la nature interdépendante du bonheur et de la souffrance. Croire que le bonheur peut aller sans la souffrance, que le bien-être peut exister sans le mal-être, que la droite peut aller sans la gauche sont autant d'illusions à éliminer.

Si vous ignorez ce qu'est la faim, vous ne connaîtrez jamais le sentiment agréable d'avoir à manger. Préférez-vous ne jamais connaître de moments de faim ? Ou préférez-vous avoir faim de temps en temps pour apprécier vraiment votre petit déjeuner ? Imaginez quelqu'un qui n'a jamais faim ; cette personne n'a aucun désir de manger. Pourquoi manger si l'on n'a pas faim ? Je pense que vous voulez préserver le privilège d'avoir faim de temps à autre pour pouvoir apprécier la joie de manger. Si vous n'avez pas soif, aucune boisson ne vous fait envie, même du Coca-Cola ! Si vous n'avez jamais connu la souffrance, vous ne savez pas ce qu'est le bonheur.

Je pense que nous avons tous besoin de souffrance pour pouvoir apprécier le bonheur qui est à notre portée. Sachez que le simple fait d'inspirer et d'expirer est pour beaucoup d'entre nous quelque chose de merveilleux. Si vous avez une crise d'asthme, le nez bouché ou une infection des poumons, si vous êtes confiné dans une pièce sans air, vous savez que c'est une joie de pouvoir respirer à l'air libre, avec des poumons en bon état et le nez dégagé. C'est alors un vrai plaisir de pouvoir marcher, inspirer et expirer librement.

C'est aussi une grande joie d'avoir deux pieds assez solides pour courir et se promener. Il peut vous arriver d'avoir une jambe cassée, une entorse à la cheville ou une grave maladie. Vous avez très envie d'aller dehors, mais vous ne pouvez pas vous lever ni sortir. Vous ne pouvez ni courir ni marcher. Dans ces moments de souffrance, vous savez que marcher est une joie, que respirer est une joie et que le simple fait de regarder le ciel bleu est une joie. Nous avons tous besoin d'une certaine quantité de souffrance pour être capables d'apprécier le bien-être et le bonheur qui sont là. Vous avez besoin de l'obscurité pour apprécier la beauté du jour qui se lève.

Imaginez un royaume où il n'y aurait aucune souffrance : ce serait très déprimant. La joie d'être en vie ne peut être là que si vous savez ce qu'est la mort. La joie d'être en bonne santé, d'être capable de marcher, de courir et de respirer n'est possible qu'avec l'expérience de la mort et de la maladie. Il convient de réexaminer notre espoir, notre désir et notre aspiration de vivre dans un royaume ou un lieu dénué de souffrance.

Ceux qui vivent dans ce royaume sont censés ne jamais souffrir et vivre dans un bonheur quotidien perpétuel. C'est aussi absurde qu'impossible. Une Terre pure, une terre de Bouddha ou le paradis, n'est pas un lieu où la souffrance n'existe pas. Ma définition du paradis, c'est un lieu où l'amour existe, où la compassion existe. Quand le bodhisattva de la compassion descend en enfer, l'enfer cesse d'être l'enfer parce que le bodhisattva y apporte de l'amour.

L'amour ne peut exister sans la souffrance. On pourrait même dire que la souffrance est la base d'où jaillit l'amour. Si vous n'avez pas souffert, si vous ne voyez pas la souffrance des êtres, vous n'avez pas d'amour en vous et vous ne comprenez pas ce qu'est l'amour. Sans la souffrance, la compassion, la bonté aimante, la tolérance et la compréhension ne peuvent pas naître. Voulez-vous vivre dans un lieu où il n'y aurait pas de souffrance ? Dans ce cas, vous ne sauriez pas ce qu'est l'amour. L'amour naît de la souffrance.

Vous savez ce qu'est la souffrance. Vous ne voulez pas souffrir ni faire souffrir les autres, de là votre amour. Vous voulez être heureux et apporter du bonheur aux autres. C'est cela l'amour. Quand la souffrance est là, cela aide à faire naître la compassion. Nous avons tous besoin de toucher la souffrance pour développer et nourrir notre compassion. C'est pourquoi la souffrance joue un rôle si important, même ici-bas, au paradis. Nous sommes déjà dans une sorte de paradis plein d'amour, mais il y a toujours de la jalousie, de la haine, de la colère et de la souffrance autour de nous et en nous.

C'est parce que nous luttons pour nous libérer de l'emprise de la souffrance et des afflictions que nous apprenons à aimer et à prendre soin de nous-mêmes et des autres, pour ne pas infliger aux autres davantage de souffrance et d'incompréhension. L'amour est une pratique, et tant que vous ne saurez pas ce qu'est la souffrance, vous ne serez pas motivé pour pratiquer la compassion, l'amour et la compréhension.

Personnellement, je n'ai pas envie d'aller dans un lieu où il n'y aurait pas de souffrance, parce que je sais que je n'y connaîtrais pas l'amour. C'est parce que vous souffrez que vous avez besoin d'amour. De par notre souffrance, nous savons que nous devons nous offrir de l'amour les uns aux autres. L'amour devient alors une pratique.

Le Bouddha de l'amour, Maitreya, ne renaîtra jamais dans un monde dénué de souffrance. C'est ici même qu'il renaîtra, parce que la souffrance est l'élément à partir duquel on peut créer de l'amour. Ne croyons pas naïvement qu'en abandonnant ce monde de souffrance, nous allons trouver un lieu qui s'appellerait le nirvâna, le Royaume de Dieu ou la Terre pure. Vous savez que l'élément à partir duquel on peut créer de l'amour est notre propre souffrance et la souffrance dont nous sommes témoins chaque jour autour de nous.

L'amour pur, la Terre pure

Dans le Sûtra de la Terre pure que je viens de traduire en vietnamien, il y a une phrase qui m'a dérangé pendant des années : « Ceux qui vivent dans la Terre pure ne connaissent jamais la souffrance, mais seulement le bonheur. » Je n'aimais pas ce sûtra juste à cause de cette phrase. Mais j'ai décidé un jour de le traduire, parce qu'une nuit où je ne dormais pas vraiment, j'ai entendu une voix dans mon cœur qui me disait de le faire.

On tombe parfois sur ce genre de phrase en lisant les sûtras. Selon les critères d'étude bouddhique, il y a des affirmations qui reflètent la vérité absolue et d'autres la vérité relative. J'accepte donc cette phrase comme exprimant la vérité relative.

Dans l'Évangile de Matthieu, il y a aussi une phrase qui me dérange et qu'on retrouve dans l'Évangile de Marc. C'est la question posée par Jésus juste avant de mourir, quand il implore : « Mon Dieu, mon Dieu, pourquoi m'as-tu abandonné ? » *« Eli, Eli, lama sabachtani ? »* Cette phrase est terrible. Si Dieu le Fils est relié à Dieu le Père, comment peut-il parler d'abandon ? Si l'eau est une avec la vague, pourquoi se lamenter que l'eau abandonne la vague ? D'où la nécessité de faire preuve de vigilance et de ne pas se fixer sur un mot, une phrase ou une affirmation en étudiant les sûtras ou les Évangiles. Il faut toujours avoir une vison élargie du corps de Dharma.

Je suis la Voie. La Voie n'est pas différente de moi. La Voie est aussi moi. Je suis le Fils de Dieu et le Fils de l'Homme en même temps. C'est très révélateur et très puissant. Se plaindre que l'eau a abandonné la vague ne révèle pas le même genre de compréhension, d'expérience. Aimer Dieu, aimer le nirvâna, aimer l'eau signifie que nous devons vraiment renaître dans notre vie spirituelle. Cela signifie que nous devons consacrer tout notre temps et notre vitalité à réaliser notre dimension ultime. Nous en avons tous soif. Si nous voulons remplir la tâche d'un enfant spirituel, nous devons consacrer notre vie à toucher l'ultime. Nous devons être des étudiants à temps plein. Pour cela, vous devez vous joindre à une Sangha où tout le monde pratique la même chose à temps plein. On pourrait comparer la Terre pure du Bouddha Amitabha à une université où tous les étudiants aiment pratiquer à temps plein.

Dans le Sûtra de la Terre pure que j'ai traduit hier, il y a une très belle phrase. Il y en a bien sûr beaucoup d'autres, mais celle-ci m'a plu tout particulièrement. « Chers amis, quand vous m'entendez parler de ce Bouddha, de sa terre, de sa communauté, vous devriez faire le vœu de renaître dans sa Terre pure immédiatement. Parce qu'en renaissant dans sa terre, vous serez en contact permanent avec des gens vraiment merveilleux. » Cela signifie que si vous naissez dans cette Terre pure, vous pourrez vivre vingt-quatre heures sur vingt-quatre avec des personnes très gentilles.

Où est la Terre pure ? Comment peut-on renaître dans cette Terre pure ? Pour moi, la Terre pure est ici même, ici et maintenant. Chacun de nous est le Bouddha Amitabha, car nous avons tous l'énergie d'amour, cet esprit d'amour en nous, ce désir très fort de rendre les autres heureux. Chacun de nous doit se comporter comme le Bouddha Amitabha et créer une Terre pure où nos amis pourront vivre dans un environnement protégé et aimant où tout le monde pratique à plein temps. Nous devons tous avoir ce désir de créer une Terre pure, un centre de pratique ou une communauté où tous ceux qui le souhaitent pourront venir.

Il n'est pas difficile de naître dans cette communauté, cette Terre pure. Il suffit de téléphoner et de dire : « Est-ce que je peux venir ? Est-ce qu'il y a une chambre pour moi ? »

Vous devez avoir le courage de laisser derrière vous tous les attachements qui vous empêchent de naître dans la Terre pure. Une fois dans la Terre pure, vous serez accueilli par ceux qui y vivent et vous pourrez leur demander de devenir un étudiant à plein temps.

Que vous viviez en Amérique, en Australie ou en Afrique, vous avez le désir d'établir une Terre pure pour le bonheur de tous, une sorte d'université où tout le monde pourrait apprendre à devenir un étudiant à temps plein. Avec la Sangha, avec la Terre pure, il est beaucoup plus facile de toucher l'ultime, car en touchant l'ultime nous nous libérons et faisons grandir notre amour pour le bien de tous.

Lumière infinie, vie infinie

Nous devrions être comme le Bouddha Amitabha : ne pas souhaiter faire le bonheur de seulement une ou deux personnes, mais avoir l'ambition et faire le vœu de rendre heureuses de nombreuses personnes. Pour cela, il faut établir une Terre pure en Afrique, en Asie, en Amérique du Nord, en Amérique du Sud... Votre carrière est la carrière de l'éveil, de l'amour.

Qui est le Bouddha Amitabha ? Vous devriez lui ressembler car le Bouddha Amitabha est une personne dont la lumière infinie peut atteindre de nombreux mondes. Voici la définition du Bouddha Amitabha dans le Sûtra de la Terre pure :

Sariputra, pourquoi ce Bouddha s'appelle-t-il Amitabha ? Parce qu'il émet une lumière infinie capable de toucher tous les mondes autour de lui sans jamais rencontrer d'obstacle.

Cette lumière est la lumière de la pleine conscience, la lumière de l'amour, la lumière de la pratique.

Sariputra, pourquoi ce Bouddha s'appelle-t-il Amitabha ? Parce sa durée de vie est illimitée, de même que la durée de vie des gens qui vivent dans son pays.

Sa durée de vie est infinie, parce que la pratique de la pleine conscience, de la compassion et du regard profond va nous aider à réaliser et à toucher le monde de la non-naissance et de la non-mort.

Nous allons poursuivre notre discussion sur le thème de l'amour le soir du Nouvel An, car, pour nous bouddhistes, c'est l'anniversaire du Bouddha à venir : le Bouddha de l'amour.

SIXIÈME PARTIE

JÉSUS ET BOUDDHA, DEUX FRÈRES[1] ?

Nous sommes réunis pour notre enseignement sur Noël. Je vais commencer par vous parler de ma pratique de la cloche, du son de la cloche, parce que ce soir nous allons écouter beaucoup de sons de cloche.

Envoyer son cœur avec le son de la cloche

Quand j'étais un petit garçon, j'allais dans le temple bouddhiste du village avec ma mère, ma sœur et mon père. J'entendais souvent le son de la cloche, mais cela ne me parlait pas particulièrement. Je me souviens que les gens continuaient à parler en même temps.

Devenant moine novice à l'âge de seize ans, j'ai eu l'occasion de découvrir le rôle de la cloche dans

1. Enseignement donné le 24 décembre 1997 au hameau d'en bas du Village des Pruniers.

la pratique du bouddhisme. On m'avait donné un petit livre de cinquante-cinq petits poèmes ou *gathas* à apprendre par cœur. Certains de ces poèmes parlaient d'inviter le son de la cloche et d'écouter la cloche. C'était merveilleux. C'est à cette époque que j'ai compris que la cloche avait un grand rôle à jouer dans la vie d'un moine ou d'une personne laïque.

On parle toujours d'« inviter le son de la cloche », parce que c'est plus amical que « frapper la cloche ». Avant d'inviter la cloche, on récite ce poème en inspirant et en expirant profondément :

Corps, parole et esprit en parfaite harmonie
Je vous envoie mon cœur avec le son de cette cloche.
Que tous ceux qui nous entendent sortent de l'oubli
et transcendent le chemin de toute anxiété et de toute peine.

En récitant le premier vers, vous inspirez, puis vous expirez au deuxième vers. Vous récitez les quatre vers en silence et cela vous rend plus calme et plus solide pour inviter la cloche.

En invitant la cloche, vous envoyez tout votre amour et vos vœux à ceux qui l'entendront. Vous souhaitez que le son de la cloche mette fin à leurs souffrances, qu'ils commencent à pratiquer la respiration consciente, qu'ils aient en eux-mêmes l'énergie de la paix, de la joie et qu'ils transforment l'énergie de la colère, de la souffrance et du désespoir qui est en eux. Inviter la cloche et envoyer le son de la cloche à ceux qui vous entourent est une action pleine de compassion, vous ne pouvez le faire sans y mettre tout votre cœur.

J'ai aussi mémorisé le poème sur la manière de pratiquer l'écoute de la cloche. Quand vous entendez le son de la cloche, vous pratiquez l'écoute profonde.

Au son de la cloche, je sens que les afflictions en moi commencent à se dissoudre. Mon esprit est calme, mon corps détendu. Un sourire naît sur mes lèvres. Me concentrant sur le son de la cloche, ma respiration consciente me ramène à ma vraie demeure. Dans le jardin de mon cœur, la paix éclôt comme une fleur.

Nous apprenons ces poèmes, ou *gathas*, par cœur pour pratiquer l'écoute de la cloche. Le fait d'inviter la cloche à sonner et d'écouter le son de la cloche peut vous apporter l'énergie de la paix, de la joie et de la solidité.

Ce soir du 24 décembre, nous allons pratiquer la méditation assise ensemble pendant quinze minutes, puis nous resterons assis en silence pendant vingt minutes pour écouter le son des cloches des églises du nord de la Russie. Nous allons nous asseoir ensemble, solides comme une montagne et libres comme l'air. Nous allons laisser le son de ces cloches d'églises toucher les graines de solidité et de joie en nous. Si vous pratiquez bien, les graines de joie, d'amour et de paix vont commencer à éclore comme des fleurs dans le jardin de vos cœurs. Peut-être allez-vous découvrir la véritable nature de la cloche.

Le son d'une cloche dans un temple bouddhiste, le son d'une cloche d'église orthodoxe, catholique ou protestante ont tous la même nature.

L'âme de la vieille Europe

Dans mon pays, j'entendais les cloches des temples bouddhistes, et parfois aussi les cloches de l'église catholique. Mais jusque-là le son d'une cloche d'église ne m'avait jamais vraiment touché. Lorsque je guide des retraites de pleine conscience en Europe occidentale, j'invite toujours les retraitants à écouter les cloches d'églises comme ils écoutent les cloches des temples bouddhistes. Mais c'est à Prague que j'ai été profondément touché pour la première fois par une cloche d'église.

En 1992, au printemps, j'ai visité Moscou et Leningrad. Puis, après avoir guidé des retraites de pleine conscience en Russie, nous avons poursuivi notre voyage dans d'autres pays d'Europe de l'Est. Nous venions d'organiser une retraite à Prague et après plusieurs jours de travail intense nous avons profité d'une journée de paresse pour aller visiter cette si belle ville. Je marchais très lentement avec un groupe d'amis, de moines et de moniales. Nous regardions des cartes postales dans une petite église. La rue où elle se situait était toute petite mais très belle.

Soudain, j'ai entendu les cloches. Ce jour-là, le son m'a pénétré profondément. Comme vous le savez, j'avais déjà écouté des cloches d'églises avant, très souvent et partout, en France, en Suisse et dans bien d'autres pays. Mais c'était la première fois qu'une cloche me touchait si profondément. J'ai eu le sentiment de toucher pour la première fois l'âme de la vieille Europe. J'avais déjà beaucoup appris sur la civilisation et la culture européennes et rencontré beaucoup d'Européens, mais cette fois, en marchant dans les rues de Prague, j'ai pu toucher l'âme de l'Europe de la plus profonde manière grâce au son d'une cloche d'église.

Tout ce qui est bon a besoin de temps pour mûrir. Quand toutes les conditions sont réunies, ce qui était latent en nous depuis longtemps se produit. Je suis venu en Europe pour la première fois à l'époque de la guerre du Vietnam. Je me consacrais alors à essayer de mettre un terme aux tueries. Je voyageais, parlais aux gens et donnais de nombreuses conférences de presse. Je courais partout et n'avais pas assez de temps pour découvrir plus profondément la culture et la civilisation européennes. Prague n'avait pas été détruite par la Deuxième Guerre mondiale. C'était une belle ville restée intacte, et c'est ce qui m'a aidé à entrer en contact avec l'âme de l'Europe, subitement, à travers ce son de cloche. C'est arrivé aussi simplement que cela.

Le fait d'être enraciné dans sa propre tradition vous permet de mieux comprendre les autres traditions. C'est comme un arbre avec des racines. Une fois transplanté, il sera capable d'absorber des nutriments dans le nouveau sol. Un arbre sans racines ne pourra pas puiser les éléments nutritifs.

À Prague, nous avons écouté la cloche en silence.

Et, en même temps, j'ai entendu le bruit de l'eau qui goutte. Ce son ne venait pas de la ville de Prague, mais d'un souvenir profond de mon enfance.

La rencontre avec mon ermite

J'avais environ onze ans et j'étais parti en excursion avec mon école dans une petite montagne au nord du Vietnam, le mont Na Son, où nous devions pique-niquer. Nous avons escaladé la montagne toute la matinée, mais comme nous ne savions pas pratiquer la méditation de l'escalade, nous sommes montés trop vite et à mi-chemin nous étions épuisés. Nous avions déjà bu toute notre eau et nous avions très soif. J'avais entendu dire qu'au sommet de cette montagne vivait un ermite qui pratiquait pour devenir un Bouddha. Je n'avais jamais vu d'ermite et j'étais très excité. Je voulais le rencontrer et savoir comment il pratiquait pour devenir un Bouddha.

Trois ans plus tôt, à l'âge de huit ans, j'avais vu une image du Bouddha dans un magazine bouddhiste. Le Bouddha était assis sur un tapis d'herbe fraîche et verte. Il avait l'air en paix, très détendu et très heureux. Cette image m'avait fait une très forte impression. Autour de moi, les gens n'étaient pas aussi calmes et j'en avais souffert. En regardant cette image du Bouddha, je me suis dit que je voulais devenir comme lui, être en paix, détendu et heureux. J'étais donc très excité à l'idée de rencontrer l'ermite, quelqu'un qui pratiquait la voie du Bouddha pour devenir lui-même un Bouddha. Mais quand nous sommes arrivés au sommet de la montagne, on nous a dit que l'ermite n'était pas là et j'ai été très déçu. J'ai pensé qu'un ermite voulait vivre seul et qu'il n'avait pas envie de se retrouver devant trois cents garçons en même temps. Alors je me suis dit qu'il était allé se cacher dans la forêt. Et je n'ai pas perdu espoir.

Puis on nous a dit que nous pouvions manger la nourriture que nous avions emportée. Nous n'avions plus d'eau mais nous avions encore du riz et des graines de sésame.

Ensuite, j'ai laissé mes amis et suis parti seul dans la forêt, espérant découvrir l'ermite. Au bout de quelques minutes, j'ai commencé à entendre le murmure de l'eau. Le son était très beau, c'était comme du piano. Je l'ai suivi et très vite j'ai découvert une source naturelle. L'eau était si claire qu'on pouvait voir le fond.

En voyant cette petite source je me suis senti très heureux. Personne ne l'avait construite. Elle était formée d'un simple courant d'eau. La douce musique de l'eau m'avait conduit sur ce lieu merveilleux. Je me suis agenouillé, j'ai pris de l'eau dans mes mains et j'ai bu. Je n'avais jamais goûté une eau aussi délicieuse. J'avais très soif.

J'étais très influencé par tous les contes de fées que j'avais lus. Je croyais que l'ermite s'était transformé en source pour que je puisse le rencontrer en privé. Après avoir bu l'eau, je me suis senti pleinement satisfait. Je n'avais aucun désir, pas même celui de rencontrer l'ermite car je pensais que l'ermite était la source.

Je me suis allongé, j'ai regardé le ciel et, fatigué,

je suis tombé dans un profond sommeil. J'ai dormi si profondément qu'en me réveillant, je ne savais plus où j'étais. Il m'a fallu quelques secondes pour me souvenir que j'étais au sommet du mont Na Son. Je n'avais pas dormi très longtemps, mais très profondément. Puis, à regret, j'ai décidé d'aller retrouver mes camarades. Et tandis que je marchais, une phrase s'est formée dans ma tête, en français : « J'ai goûté l'eau la plus délicieuse du monde ! »

Je n'ai pas parlé de cette histoire à mes camarades, comme si j'avais voulu la garder pour moi. J'avais l'impression qu'en leur racontant, je perdrais quelque chose. Je pensais avoir rencontré l'ermite.

À Prague, écoutant la cloche, j'ai entendu le son de l'eau ruisselante que j'avais entendu lorsque j'étais un petit garçon de onze ans. Je savais que le bruit de l'eau m'avait aidé à toucher profondément le son des cloches d'églises. Le son de l'eau venait de ma tradition spirituelle, celle de mes racines. Le son de la cloche vient d'une autre tradition, la tradition chrétienne. La première m'a aidé à entrer en contact avec la deuxième.

Je pense que l'enracinement est très important pour que le dialogue soit possible. Nous ne voulons pas que les gens soient déracinés de leur tradition. Nous voulons qu'ils y retournent. La pratique bouddhiste peut les aider à retrouver leurs racines.

Dans mon pays, nous avons beaucoup souffert à cause des missionnaires qui voulaient nous couper de notre tradition. Ils nous disaient que pour être sauvés nous devions abandonner nos traditions ancestrales, nos pratiques bouddhistes. Nous ne voulons pas faire la même chose à nos amis.

En écoutant les cloches à Prague, j'ai compris que je commençais à avoir des racines dans la culture européenne, en plus de mes racines culturelles. Il faut être enraciné dans sa propre culture pour pouvoir en toucher une autre profondément et s'y enraciner. C'est très important.

Revenir à ses racines

Je sais que des Vietnamiens ont beaucoup souffert dans leur pays, que ce soit à cause de leurs familles, de leur gouvernement, de la division ou de la guerre. Certains en sont arrivés à haïr tout ce qui était vietnamien. Ils ont tant souffert qu'ils haïssent leur famille, leurs ancêtres, leur société, leur gouvernement et leur culture. Une fois installés en Europe ou en Amérique, ils veulent devenir de purs Européens ou de purs Américains et laisser derrière eux tout ce qui était vietnamien. Ils sont déterminés à ne plus jamais être vietnamiens, à oublier complètement leurs racines. Vous aimeriez savoir s'ils ont réussi. Peut-on oublier toutes ses racines pour devenir quelqu'un de complètement différent ? La réponse est non. J'ai vu et rencontré beaucoup de ces personnes qui essaient depuis des années d'être quelqu'un d'autre. Ils n'y sont pas parvenus et je les encourage à revenir à leurs racines.

Depuis trente ans que je partage le Dharma en Occident, j'ai souvent eu l'occasion de rencontrer des Européens et des Américains qui ont le même genre de blessures et de désirs. Ils ont tellement souffert qu'ils ne veulent plus rien savoir de leur famille, de leur Église, de leur société et de leur culture. Ils veulent devenir quelqu'un d'autre, devenir indien, chinois ou vietnamien. Ils veulent devenir bouddhistes parce qu'ils détestent tout ce qui est lié à leurs racines. Ont-ils réussi à tout laisser derrière eux pour devenir quelqu'un de complètement différent ? La réponse est non.

Je reconnais immédiatement ces personnes quand elles viennent au Village des Pruniers. Je les reconnais tout de suite comme des âmes errantes ou des fantômes affamés. Elles ont effectivement très faim, faim de quelque chose de beau et de bon en quoi elles puissent croire. Elles ont faim de croire en quelque chose de vrai. Elles veulent laisser derrière elles tout ce qui appartient à leur société et à leur culture.

Le véritable amour exige de la patience. Si vous voulez vraiment aider, vous devez être patient. Et nous savons que pour aider ces personnes nous devons être très patients. J'ai tendance à leur dire qu'on ne peut être heureux sans racines. Vous devez revenir à vos racines, à votre famille, à votre culture, à votre Église. Mais c'est précisément ce qu'elles n'ont pas envie de faire et elles n'aiment pas se l'entendre dire.

Un arbre sans racines ne peut survivre. De même, une personne sans racines ne peut survivre. Nous devons être très patients. Je leur dis : « Bienvenue. Pratiquez la méditation assise. Pratiquez la marche méditative. Vous avez le droit d'aimer le Bouddha et la culture vietnamienne. » Et nous leur offrons la Sangha, la communauté, pour qu'elle soit un peu comme une famille pour eux. Nous essayons de les embrasser dans notre pratique de la pleine conscience, comme la terre mouillée embrasse une bouture pour lui donner une chance de produire quelques minces racines. Petit à petit, ces personnes retrouvent un peu de leur confiance, de leur foi et de leur capacité à accepter l'amour.

Pour pouvoir aider une âme affamée, il faut commencer par gagner sa confiance, parce que les âmes affamées se méfient de tout. Elles n'ont encore rien vu qui soit vraiment beau, bon et vrai. Elles se méfient de vous et de ce que vous leur proposez. Elles ont faim, mais elles n'ont pas la capacité d'absorber ce que vous leur donnez, même quand vous avez la bonne nourriture à leur offrir, quelque chose de beau, de vrai et de bon.

En Asie, la tradition veut qu'on offre à manger et à boire aux âmes errantes le soir de pleine lune du septième mois lunaire. Les âmes errantes n'ont pas d'endroit où revenir. Il y a un autel des ancêtres dans chaque maison, si bien que nos ancêtres ont un lieu où revenir, contrairement aux fantômes affamés *(preta)*. C'est pour eux qu'on fait des offrandes dans la cour de la maison. On dit que les fantômes affamés ont le ventre aussi gros qu'un tambour mais la gorge aussi étroite que le chas d'une aiguille. Leur capacité de recevoir de la nourriture ou de l'aide est donc très limitée. Même si nous avons de la compréhension et de l'amour à leur offrir, ils restent méfiants. C'est pourquoi il faut de la patience. Au début de la cérémonie d'offrande, nous récitons l'enseignement du Bouddha pour permettre aux âmes errantes de toucher la compassion et la compréhension des bouddhas et des bodhisattvas et leur donner ainsi une chance de renaître dans la Terre pure.

La société actuelle est organisée de telle sorte que l'on crée tous les jours des milliers de fantômes affamés, surtout parmi les jeunes. Regardez autour de vous. Il y a tant de gens qui n'ont pas de racines, qui ont faim et qui souffrent. Prenons garde dans notre vie quotidienne à ne pas contribuer à créer de nouveaux fantômes affamés. Nous devons jouer notre rôle de parent, d'enseignant, d'ami et de religieux avec compréhension et compassion. Nous devons aider les fantômes affamés à avoir moins faim, à revenir dans leur famille et à se réintégrer dans leur tradition.

Quand le moment est arrivé, qu'ils sont capables de sourire et de pardonner, nous les invitons à revenir à leur culture, à leur famille et à leur Église. Votre famille et votre Église ont besoin de vous. Elles ont besoin de vous pour les aider à se renouveler et ne plus se couper des jeunes. Faites-le pour votre propre génération, mais aussi pour les générations futures.

Manger ensemble

Chers amis, je voudrais vous parler de ce qui me rend heureux. Je suis très heureux chaque fois que je touche la beauté de la vie autour de moi. Il m'arrive d'être profondément ému de voir tant de belles choses autour de moi et en moi. Les arbres sont parfois si beaux, le ciel si clair, la rivière si majestueuse, tout comme le coucher du soleil, l'aube naissante, les oiseaux, les daims, les écureuils, les enfants. Il y a des gens qui sont capables d'aimer, de pardonner et de prendre soin des autres. Je vois des gens qui savent aimer les autres, prendre soin des animaux, des arbres, de l'eau, de l'air et des minéraux. Je suis inspiré par la beauté autour de moi et par la capacité d'aimer autour de moi.

Cela ne veut pas dire que je ne souffre pas. Je voudrais aussi vous parler un peu de ma souffrance. Je souffre beaucoup quand je vois qu'il faut se manger les uns les autres pour rester en vie. Les animaux doivent se manger entre eux pour rester en vie. C'est quelque chose qui me brise le cœur. Bien sûr, vous avez déjà observé la nature et vu des films sur la nature. Vous avez déjà vu un lion tuer une gazelle et d'autres animaux pour se nourrir et nourrir ses enfants. Vous savez que les gros poissons mangent les petits poissons, que les oiseaux mangent de la chair.

En hiver, il y a souvent des chasseurs par ici. Autrefois, les hommes devaient chasser pour manger et survivre. Mais je ne crois pas que ce soit la faim qui les tenaille aujourd'hui. Nous n'avons plus besoin d'aller chasser mais il y a toujours beaucoup de chasseurs. Chaque dimanche, ils terrorisent les petites créatures qui vivent autour d'eux.

Si l'amour existe, il existe aussi d'autres choses. Il y a de l'ignorance, de la violence et de l'avidité. L'humanité souffre. Nous avons créé des guerres un peu partout. Nous voulons pouvoir consommer toujours plus, ce qui crée beaucoup de souffrance.

C'est un privilège pour beaucoup d'entre nous de pouvoir être végétariens. Je sais que les légumes sont aussi vivants et qu'ils souffrent quand on les mange. Mais leur souffrance n'est pas comparable à la souffrance des autres êtres vivants. Elle n'est pas aussi intense.

Dimanche dernier, j'ai partagé un repas formel avec les moines, les moniales et les laïcs au Hameau d'en haut. J'ai mangé mon repas en pleine conscience et j'ai regardé profondément chaque grain de riz, chaque haricot, chaque morceau de tofu. J'y ai vu beaucoup de choses. J'ai vu la boue, la terre, les minéraux et le compost. J'ai vu les os brisés de petits êtres vivants. Pour que le riz et les légumes puissent pousser, ils ont besoin de ces éléments. Tout en mangeant le riz, les haricots et le tofu, j'ai vu très clairement les éléments qui ont fait le riz, les haricots, le tofu. Je les ai vus très profondément et cela n'en restait pas moins tout aussi bon à manger.

Entouré par les frères et les sœurs de la Sangha, j'étais pleinement conscient qu'il est merveilleux de pouvoir manger en présence d'une communauté de pratique. Vous devez manger de telle sorte que l'amour, la paix et la stabilité soient possibles, et que vous soyez un soutien pour les autres. Nous devons manger de telle sorte que la compassion soit nourrie dans nos cœurs. Nous pratiquons l'amour et la compassion en marchant, en étant assis et en mangeant.

Je vais maintenant inviter la cloche à sonner et nous allons respirer ensemble quelques minutes avant de continuer. Trouvez une belle posture pour recevoir le son de la cloche. Faites en sorte que l'énergie de la paix puisse naître en vous.

Écoute, écoute, ce merveilleux son de cloche me ramène à ma vraie demeure.

Trouver une famille

Selon la tradition, vous devez retourner dans votre famille pour Noël. Quand je regarde les choses profondément, je m'aperçois que Noël est finalement très proche de l'esprit du Nouvel An vietnamien, car dans notre tradition c'est aussi une fête que l'on doit passer en famille.

Le fait de se retrouver en famille nous permet de toucher profondément nos racines. Sachons profiter de cette occasion pour être vraiment présents les uns pour les autres et pour nous réconcilier, parce que c'est la meilleure façon de toucher nos ancêtres. On ne peut être heureux sans racines. Noël est une occasion pour nous de nous asseoir, de regarder profondément et de prendre conscience de nos racines. Nous aurons plus de stabilité, de paix et de joie en étant fermement enracinés dans nos ancêtres et dans notre culture.

Quand toute la famille est réunie, il est plus facile de toucher ses racines profondément. C'est l'un des côtés merveilleux de Noël : tout le monde doit rentrer dans sa famille. J'espère que cette pratique durera longtemps.

Nous avons des ancêtres génétiques, mais nous avons aussi des ancêtres spirituels. Si vous êtes né en Occident, il y a de fortes chances pour que vous soyez un enfant de Jésus et que Jésus soit votre ancêtre. Jésus est l'un des nombreux ancêtres spirituels des Européens. Vous ne vous considérez peut-être pas comme chrétien, mais cela n'empêche pas Jésus d'être l'un de vos ancêtres spirituels. Votre arrière-grand-père était peut-être un bon chrétien et, dans ce cas, il vous a transmis la graine, l'énergie, l'amour et la sagesse de Jésus. Vous pourriez aider cette énergie à se manifester en vous.

Certaines personnes pensent qu'elles n'ont plus rien à faire avec le christianisme. Elles le détestent. Elles veulent le laisser derrière elles, bien que dans leur corps et leur esprit Jésus soit très présent et très réel. L'énergie, la sagesse et l'amour de Jésus sont peut-être cachés en elle. C'est comme le son de la cloche. Quand vous entendez le son d'une cloche d'église ou d'un temple bouddhiste, vous pouvez très bien ne rien ressentir. Vous pensez qu'un son de cloche n'a pas grand-chose à voir avec vous, mais cela peut changer.

Un bouddhiste est quelqu'un qui considère le Bouddha comme l'un de ses ancêtres spirituels. Vous pouvez dire que le Bouddha est un éveillé, un grand bodhisattva, un maître et le fondateur du bouddhisme. Vous pouvez dire que le Bouddha est votre ancêtre spirituel. Pour moi, le Bouddha est très réel. Je peux le toucher quand je veux. Je peux bénéficier de son énergie et de sa sagesse à tout moment. C'est très concret. Il est dans chaque cellule de mon corps. Chaque fois que j'ai besoin de lui je sais comment l'appeler et faire en sorte que son énergie se manifeste.

Je fais de même avec mon père. Je sais que mon père est en moi. Mon père est dans chaque cellule de mon corps. Il y a en moi beaucoup de cellules saines de mon père. Il a vécu plus de quatre-vingt-dix ans. Chaque fois que j'ai eu besoin de lui, j'ai toujours pu compter sur lui. Son énergie est présente dans chaque cellule de mon corps.

Je vis en contact permanent avec mes ancêtres génétiques et spirituels. Si vous êtes bouddhiste, vous avez le Bouddha comme ancêtre. L'énergie, la sagesse et l'amour du Bouddha vous ont été transmis par votre maître et de nombreuses générations de maîtres. Vous savez comment toucher ces cellules dans votre corps et dans votre âme ; vous savez comment appeler l'énergie du Bouddha à se manifester. Vous avez besoin de l'énergie du Bouddha.

Embrasser les énergies négatives

Il nous arrive parfois d'être envahi par des énergies de haine, de colère ou de désespoir. Nous oublions qu'il y a en nous d'autres types d'énergie qui peuvent aussi se manifester. Si nous savons comment pratiquer, nous pouvons restaurer l'énergie de la sagesse, de l'amour et de l'espoir pour embrasser l'énergie de la peur, du désespoir et de la colère. Nos ancêtres ont combattu les énergies malsaines, ce que les chrétiens appelleraient le mal en nous, en faisant appel au Saint-Esprit qui apporte santé, joie et vitalité.

Dans le bouddhisme, on parle aussi d'énergies positives et négatives, mais il y a cependant une légère différence. Dans le cas du bouddhisme, nous n'avons pas besoin de repousser le mal ; nous embrassons le mal, nous embrassons l'énergie de la colère, du désespoir, de la haine, toutes les énergies négatives. Dès lors qu'elles sont embrassées par l'énergie de la pleine conscience, elles sont transformées. Nous n'avons pas besoin de les chasser.

Que faites-vous pour embrasser et transformer vos énergies négatives ? Vous devez vous en remettre à l'énergie d'amour, de compréhension et de paix en vous-même. Vous devez aider ces énergies à se manifester afin qu'elles puissent embrasser ces énergies négatives. Écouter la cloche est une merveilleuse manière de générer l'énergie de la pleine conscience. Ces énergies positives vont prendre soin des énergies négatives. Par exemple, quand vous êtes en colère, vous pouvez pratiquer ce *gatha* :

J'inspire, je sais que l'énergie de la colère est en moi.
J'expire, j'embrasse ma colère.

C'est une pratique merveilleuse. Il suffit de respirer en étant conscient que la colère est en vous. Sous savez que lorsque vous êtes en colère, mieux vaut ne rien dire, ni agir ni réagir. « J'inspire, j'expire. Je reconnais qu'il y a de la colère en moi. » Il n'y a rien d'autre à faire. Si vous savez comment procéder, l'énergie de la colère ne pourra pas vous faire du mal ni à ceux qui vous entourent.

L'énergie de la pleine conscience reste vivante en vous parce que vous continuez à respirer en pleine conscience. Cela vous permet d'embrasser l'énergie de la colère, de reconnaître qu'elle existe. Vous n'avez pas besoin de vous débarrasser de votre colère. Vous la laissez être là, vous l'embrassez tendrement et elle finit par se calmer. Dès lors, il n'y a plus de danger. Vous avez aidé la colère à se transformer peu à peu. Cette pratique vous permet de reconnaître votre colère avec un sourire.

Quand vous pratiquez la respiration consciente, reconnaissant votre colère et lui souriant, l'énergie du Bouddha est en vous. Le Bouddha est un ancêtre qui vous protège. Vous savez que le Bouddha n'est pas qu'une idée. Le Bouddha est l'énergie véritable. L'énergie du Bouddha est l'énergie de la pleine conscience, de la paix, de la concentration et de la sagesse.

Si vous êtes chrétien, votre pratique doit être similaire. Quand l'esprit du mal est en vous, l'esprit du désespoir, de la colère, de la violence et de la haine, vous devez en être conscient. Vous demandez à Jésus de venir se manifester en vous pour qu'il vous aide à reconnaître et à embrasser les énergies négatives en vous. Avec la prière et la contemplation, en relisant la Bible, vous vous mettez à l'abri. Vous parvenez à contenir, à contrôler et à transformer cette énergie d'habitude en vous, l'énergie que vous appelez l'esprit du mal. Le

Saint-Esprit est l'énergie dont vous avez besoin pour embrasser et prendre soin des énergies négatives qui sont en vous. Pour ceux d'entre nous qui pratiquent la pleine conscience, l'énergie de la pleine conscience (qui est l'énergie du Bouddha) est l'équivalent de ce que nos amis chrétiens appellent le Saint-Esprit.

Le Saint-Esprit est l'énergie qui peut apporter sa présence, sa compréhension, son acceptation, son amour et sa guérison. Si vous acceptez de dire que le Saint-Esprit a le pouvoir d'être présent, de comprendre, de guérir et d'aimer ; si vous êtes d'accord avec tout cela, vous devez reconnaître qu'il en est de même de l'énergie de la pleine conscience. Là où il y a de la pleine conscience, il y a la capacité de comprendre. Vous avez la capacité d'accepter, d'éprouver de la compassion, d'aimer, donc de toucher l'énergie de la pleine conscience pour qu'elle se manifeste en vous. Le Bouddha en tant qu'ancêtre spirituel est présent en vous. Vous pouvez laisser le Saint-Esprit vous guider et vous éclairer de sa lampe. Jésus est vivant en vous en ce moment même.

On peut connaître le Bouddha et aussi Jésus. Certaines personnes ont des racines dans la tradition bouddhiste et dans la tradition chrétienne. Dans mon ermitage, j'ai placé sur mon autel de petites statues du Bouddha, une dizaine ou une quinzaine de bouddhas miniatures. J'ai aussi une photo de Jésus que je considère comme mon ancêtre. J'ai adopté Jésus comme l'un de mes ancêtres spirituels.

Pendant la guerre du Vietnam, j'ai fait tout ce

que j'ai pu pour mettre fin au massacre. Je suis venu en Europe et en Amérique du Nord où j'ai rencontré des chrétiens qui incarnaient vraiment l'esprit d'amour, de compréhension et de paix de Jésus. Grâce à eux, j'ai touché Jésus profondément et je l'ai vu comme un maître spirituel, un ancêtre spirituel.

La rencontre de deux frères

Un réalisateur suédois m'a posé un jour cette question : « Si Jésus et le Bouddha devaient se rencontrer aujourd'hui, que se diraient-ils, d'après vous ? » Je vais vous donner ma réponse.

Non seulement ils se rencontrent aujourd'hui même, mais ils se sont aussi rencontrés hier, la nuit dernière et ils vont aussi se rencontrer demain. Ils sont toujours en moi, en paix et unis l'un à l'autre. Il n'y a aucun conflit entre le Bouddha et le Christ en moi. Ils sont deux vrais frères, deux vraies sœurs en moi. C'est une partie de la réponse.

Un chrétien est un enfant de Jésus. Il a Jésus comme parent, comme ancêtre. En tant qu'enfants de nos ancêtres, nous sommes une continuation de nos ancêtres. Un chrétien est une continuation de Jésus-Christ. Il est Jésus-Christ. C'est ainsi que je vois les choses. Un bouddhiste est un enfant du Bouddha ; il est une continuation du Bouddha. Il est le Bouddha. Vous êtes les enfants de votre mère. Vous êtes la continuation de votre mère. Vous êtes votre mère, votre mère est vous. Vous êtes l'enfant de votre père. Votre père est vous, que vous le vouliez ou non. Mais vous n'êtes pas seulement la continuation de votre mère et de votre père.

C'est pourquoi nous pouvons dire que lorsqu'un bouddhiste rencontre un chrétien, le Bouddha rencontre Jésus. C'est ce qu'ils font tous les jours. En Europe, en Amérique, en Asie, le Bouddha et Jésus se rencontrent tous les jours. Que se racontent-ils ? Imaginez il y a trois cents ans, quand Jésus est arrivé au Vietnam. Pensez-vous que le Bouddha l'ait accueilli en lui disant : « Qui es-tu ? Que viens-tu faire ici ? Les Vietnamiens ont toujours eu leur tradition spirituelle. Veux-tu que les Vietnamiens rejettent le bouddhisme pour embrasser une autre foi ? » Pouvez-vous imaginer le Bouddha en train de dire à Jésus : « Vous autres Vietnamiens, vous suivez un mauvais chemin spirituel. Vous devez le rejeter et apprendre le nouveau chemin que je vais vous révéler. C'est la seule voie qui offre le Salut » ?

Si vous êtes historien, si vous avez étudié l'histoire des religions, vous sauriez ce que le Bouddha et Jésus se seraient dit il y a trois cents ans. Imaginez la même rencontre aujourd'hui en Europe et en Amérique. Mais vous n'avez pas besoin de l'imaginer car elle a lieu tous les jours. Le Bouddha dit à Jésus : « Je viens d'arriver dans ce pays. Crois-tu que je peux rester ici ou dois-je retourner en Asie ? »

Il y a eu énormément de réfugiés en provenance d'Indochine. Et d'autres qui sont arrivés de Thaïlande, de Birmanie ou du Tibet et qui ont apporté leurs croyances religieuses avec eux en Europe et en Amérique. Ont-ils le droit de pratiquer ici en terre européenne ? Ont-ils le droit de partager leurs croyances et leurs pratiques avec les non-bouddhistes ? Pouvez-vous imaginer Jésus en train de leur dire : « Non, en Europe nous avons déjà le christianisme et je trouve que ce ne serait pas bien de vouloir propager une nouvelle croyance sur cette terre. » On peut imaginer toutes sortes de propositions et de réactions.

Lors d'une conférence qui a eu lieu à Lille, dans le nord de la France, j'ai expliqué qu'on pouvait voir le Bouddha et Jésus assis ensemble en train de prendre le thé. Puis, le Bouddha se tourne vers Jésus et lui dit : « Mon cher frère, ne trouves-tu pas qu'il est plus difficile aujourd'hui d'être direct, sans peur et d'aider les gens à comprendre et à aimer ? » C'est une question que le Bouddha pourrait poser à Jésus.

Jésus ne connaissait pas la peur et il était très direct. Ce maître avait une immense capacité d'aimer, de guérir et de pardonner. Voici la première question que le Bouddha pourrait lui poser : « Mon cher frère Jésus, est-ce vraiment si difficile aujourd'hui ? » Et voici comment il continuerait : « Que puis-je faire pour t'aider, mon frère ? » Comment faire en sorte que la pratique soit toujours comprise, acceptée et efficace pour reconstruire ce qui a été anéanti et restaurer ce qui a été perdu : la foi, le courage et l'amour ?

Jésus, c'est tous ceux qui, dans les Églises orthodoxe, catholique, protestantes et anglicanes essaient d'aider les gens à comprendre, à accepter, à vivre et à pratiquer de telle sorte que l'amour et l'acceptation redeviennent possibles. Jésus est toutes ces personnes qui se demandent comment faire pour que le message du Christ soit mieux reçu et mieux compris aujourd'hui.

Le Bouddha pose à Jésus une question très concrète. Il lui pose la question de la pratique parce qu'il veut connaître sa réponse. Aujourd'hui, il a aussi des difficultés à faire tout ce qu'il faisait il y a vingt-cinq siècles en Inde. Dans sa tradition, on a tendance à trop parler de l'enseignement. Les gens se sont égarés en inventant trop de choses et en s'occupant trop de l'organisation. Ils ont perdu la véritable essence du Dharma. Ils enseignent et pratiquent dans des formes archaïques qui n'ont pas réussi à transmettre le véritable enseignement aux futures générations.

En posant cette question à Jésus, le Bouddha se pose en même temps cette question : comment peut-on renouveler le bouddhisme en tant que tradition spirituelle ? Comment le bouddhisme peut-il incarner le véritable esprit du Dharma ? comment la pratique peut-elle générer la véritable énergie de l'amour, de la compassion et de la compréhension ?

Le Bouddha et Jésus sont deux frères qui doivent s'aider mutuellement. Le bouddhisme a besoin d'aide. Le christianisme a besoin d'aide, non pas pour le bien du bouddhisme, non pas pour le bien du christianisme, mais pour le bien de l'humanité et pour le bien des autres espèces sur la Terre. Nous vivons à une époque dominée par l'individualisme, la violence et l'ignorance. Les gens ne se comprennent plus les uns les autres ; ils ne sont plus capables de se parler et de communiquer ensemble. Nous vivons une époque où la destruction est partout, où beaucoup de gens sont au bord du désespoir. C'est pourquoi le Bouddha a besoin d'aide, de même que Jésus.

Au lieu de les opposer, invitons-les ensemble chaque jour, chaque matin, chaque après-midi et chaque soir comme deux vrais frères. Leur rencontre est un espoir pour le monde.

Le Bouddha et Jésus doivent se rencontrer à chaque instant en nous. Dans notre pratique quotidienne nous avons besoin de toucher l'esprit du Bouddha et l'esprit de Jésus pour qu'ils se manifestent. Nous avons besoin de leurs énergies pour pouvoir embrasser notre peur, notre désespoir et notre anxiété.

Pour Jésus comme pour le Bouddha, il est possible de retrouver la paix et l'espoir. Cette paix, cette solidité et cet espoir sont pour ceux que nous aimons et qui vivent autour de nous. Chaque pas que vous faites dans la direction de la paix, chaque sourire sur vos lèvres, chaque regard aimant inspire et aide les gens qui vous entourent à avoir foi en l'avenir.

C'est pourquoi le Bouddha devrait aider Jésus à se rétablir complètement et Jésus devrait aider le Bouddha à se rétablir complètement, parce que Jésus et le Bouddha ne sont pas des concepts. Ils sont vivants, autour de nous et vous pouvez les toucher dans votre vie quotidienne.

Dans beaucoup de pays, au Vietnam, en Chine, en Corée, en Thaïlande, il est difficile pour les jeunes de se marier s'ils ne sont pas de la même confession. Si un jeune homme bouddhiste tombe amoureux d'une jeune fille catholique, ils auront un moment difficile à passer parce que leurs deux familles voudront les empêcher de se marier. Cette tragédie dure depuis longtemps. Il faudra peut-être des centaines d'années pour régler le problème et laisser les jeunes issus de traditions spirituelles différentes se marier sans souffrance.

Si deux personnes de confessions différentes se marient, le jeune marié pourrait faire le vœu d'apprendre et de pratiquer la tradition spirituelle de sa femme, et la jeune mariée celui d'apprendre et de pratiquer la tradition de son époux. Ils auraient ainsi deux racines au lieu d'une, ce qui ne pourra que les enrichir personnellement. S'ils forment une famille, ils pourront apprendre à leurs enfants à apprécier le meilleur des deux traditions. Les parents devraient encourager leurs enfants à avoir deux racines, à avoir le Bouddha et Jésus dans leur vie. Pourquoi pas ?

Cela ouvrira un âge nouveau où les gens seront plus tolérants, plus nombreux à voir la beauté et la valeur des autres traditions. C'est comme en cuisine. Si vous aimez la cuisine française, cela ne veut pas dire que vous n'avez pas le droit d'aimer la cuisine chinoise. S'il faut cent ans pour en arriver là, ce ne sera pas inutile. Si vous arrivez à cette conclusion, la jeune génération n'aura pas à souffrir comme les gens de ma génération et des générations passées. Vous aimez les pommes. Vous avez bien sûr le droit d'aimer les pommes, mais personne ne vous empêche d'aimer aussi les mangues.

TABLE DES MATIÈRES

TABLE DES MATIÈRES

Initiation au zen

Clés pour le zen
Thich Nhat Hanh

Nous possédons tous la nature de Bouddha. Il suffit pour la toucher de regarder en soi-même en abandonnant toute recherche extérieure. Libérés des dogmes, des croyances et des notions, le zen nous propose une communication directe avec notre nature absolue. Thich Nhat Hanh, grand maître zen, livre dans cet ouvrage didactique les clés concrètes de l'éveil à la pleine conscience de soi.

(Pocket n° 10833)

Achevé d'imprimer sur les presses de

BUSSIÈRE

GROUPE CPI

à Saint-Amand-Montrond (Cher)
en février 2007

POCKET - 12, avenue d'Italie - 75627 Paris Cedex 13

— N° d'imp. : 70140. —
Dépôt légal : octobre 2002.
Suite du premier tirage : mars 2007.

Imprimé en France